Romantik in Deutschland

Romantik in Deutschland

117 großformatige Farbbilder

Texte Thaddäus Troll

Stürtz Verlag Würzburg

We

Who

Ein s
wilder
gemac
gefalle
res He
das ist
Darau
,,Ja, o
solang
In dies
am Sc
sah an
da, es
War w
hören
wie Da
tigall, s
und Un
und Fl
auch oh
ist: Wü
Steppe,
solche
Mensch
sie ihm
Landsc
wo Schö
Das Wo
arbeiten
Wortve
der Schö
Wenn w
finden w

Autori
Würzb
ISBN 3
© 1975
Salzbu
Alle R
Projekt
Überse
Überse
Prof. W
Bildred
Reprod
Nürnbe
Einban
Satz un
Drucke
Papier:
Oberle
Einban
Künzels

Schönheit der Küste

Beauty of the coast · La beauté des côtes

„Wer hat das Meer mit Türen verschlossen, da es herausbrach wie aus Mutterleib? Da ich's mit Wolken kleidete und in Dunkel einwickelte wie in Windeln; da ich ihm den Lauf brach mit meinem Damm und setzte ihm Riegel und Türen und sprach: Bis hierher sollst du kommen und nicht weiter; hier sollen sich legen deine stolzen Wellen!"
Sind diese Worte aus dem 38. Kapitel Hiob nicht eine wahrhaft herrliche Schilderung der Küstenlandschaft? Hier wird es ausgesprochen: Die Küste, der Streifen, wo die Begegnung zwischen Land und Meer stattfindet, ist ein Stück schöpferischer Urlandschaft. Die See, aktiv, in dauernder Bewegung, im vom Mond bewegten Rhythmus von Flut und Ebbe an- und abschwellend. Das Meer als Bühne, auf der das Licht spielt, gischtweiß, türkisgrün, azurblau, malvenfarben, stahlgrau, schwarz, morgenrosa und abendrötlich getönt. Wasser, zu Eis erstarrt, Wasser, in Wolken aufgelöst, Widerlichtspiel des Himmels gegen die See. Wellen im Liebesspiel gegen das Land, das sich passiv dem Meer entgegensetzt und sich ihm hingibt als weiße Klippe, als roter Fels, als gelbe Sandbank, als elfenbeinfarbener Strand, als buntes Kiesgeröll. Altgewordene Flüsse, die behäbig in die Breite gehen und die, bevor sie sich im Meer ersäufen und bis weit hinaus ihre fremde Farbspur hinterlassen, im geruhsamen Delta schwer zugängliche Inseln umschlingen, Zufluchten für Pflanzen und Vögel. Watt als Niemandsland zwischen

"Or who shut up the sea with doors, when it brake forth, as it had issued out of the womb. When I made the cloud the garment thereof, and thick darkness a swaddlingband for it. And brake up for it my decreed place, and set bars and doors. And said, Hitherto shalt thou come, but not further: and here shall thy proud waves be stayed?"
Are not these words from the 38th chapter of Job a truly magnificient description of the shore? Here are anticipated: coasts, the sectors where the encounter between land and sea take place, this is a piece of creative primeval landscape. The sea, active, in constant movement, swelling and receding to the rhythm of high and low tide actuated by the moon. The sea as stage where light is the player, tinted spray white, turquoise, sky-blue, mauve, steel-grey, black, aurora pink, and sunset red. Water frozen to ice, water dissolved into clouds, the contrasting light game between sky and sea. Waves courting the land, land passively contraposing the sea, sacrificing itself as white cliffs, as red rocks, as yellow sandbanks, as beige-coloured beaches, as colourful grails, rivers grown old, comfortably diffusing themselves outwards, leaving behind their own trace of colour before drowning well out into the sea, embracing almost inaccessible islands in quiet deltas, refuge for plant and bird alike. Shore belt as no-man's land between land and sea, interlaced by narrow water-courses, enlivened by amphibian beasts. The delicate line of the bay and beach

«Qui a fermé la mer avec des portes, quand elle s'élança du sein maternel; quand je fis de la nuée son vêtement, et de l'obscurité ses langes; quand je lui imposai ma loi, et que je lui mis des barrières et des portes; quand je dis: Tu viendras jusqu'ici, tu n'iras pas au delà; ici s'arrêtera l'orgueil de tes flots?»
Ces paroles du 38e chapitre du livre de Job ne sont-elles pas une magnifique description du paysage côtier? N'est-ce pas bien dit: la côte, ce littoral, où se fait la rencontre de la mer et du continent, est un élément original de la Création. La mer, infatigable, dans son mouvement perpétuel, allant et venant au rythme lunaire des marées. La mer où la lumière joue, blanche comme l'écume, turquoise, azurée, mauve, d'un gris d'acier, noire, couleur d'aurore et de crépuscule. L'eau, prise dans les glaces, l'eau, prisonnière dans les nuages, reflets du ciel dans la mer. Les vagues caressent le rivage, qui offre une résistance passive à la mer et se donne à elle avec ses récifs blancs, ses rochers rouges, ses bancs de sable doré, ses plages d'un beige pâle, ses galets multicolores. Des fleuves vieillis, qui prennent des formes respectables, avant de se noyer dans la mer. On reconnaît, au large, leur trace colorée. Ils enlacent, d'un delta lascif, des îles presque inaccessibles, où les plantes et les oiseaux se sont réfugiés. Les bas-fonds sont un no man's land entre la terre et la mer, sillonnés de courants, habités d'une faune amphibique. La ligne douce des baies et des plages, des haffs, des lagunes, des langues

Land und Meer, von Prielen durchzogen, von amphibischem Getier belebt. Die sanfte Linie von Bucht und Strand und Haff und Lagune und Nehrung, von zärtlichen Wellen heimgesucht und überschmeichelt. Inselgruppen und Inselketten vom Meer umarmt als Vorposten der Küste. Aber auch Widerstand gegen das Meer. Fels, Klippe und Riff, die sich schroff dem Wasser verweigern, das gewalttätig gegen sie anbrandet. Ein Fjord, mit dem sich das Meer ins Land hineinbohrt; ein Kap, mit dem das Land eine umtoste Faust ins Meer stößt. Die Begegnung mit dem Meer mag im Menschen spontan mehr Furcht und Staunen als Bewunderung hervorgerufen haben. Erst dann meldete sich in dem Landwesen die Neugier – wie geht das Meer weiter, was kommt hinter dem Meer, was birgt das Meer? Und diese Fragen weckten den Wunsch, das Meer begehbar, befahrbar zu machen und aus dem Floß ein fischähnliches Gefährt zu entwickeln, das Boot, das das Wasser durchschneidet, das vom Wasser getragen, das mit Paddel oder Ruder vorwärtsbewegt wird, dem ein Steuer die Richtung gibt. Was der Mensch baut, fügt sich nicht immer in die Landschaft ein, im Gegenteil, oft zerstört es die Landschaft. Aber es gibt kaum ein Boot, einen Kahn, ein Schiff, die naturwidrig wirken, die nicht „in die Landschaft passen", wie es eine geläufige Redensart fordert. Schiffe widersprechen selten der Landschaft, sondern leben in Harmonie mit ihr, bereichern sie, wenn es nicht gerade Kriegsschiffe sind.

and cove and lagoon and narrow tongues of land, haunted by tender waves and complimented by them. Island groups and chains surrounded by the sea, acting as outposts of the coast. But also as resistance to the sea. Cliffs, bluffs, reefs, which ruggedly deny the water that violently breaks against them. A fiord with which the sea bores into the land; a promontory with which the land thrusts a raging fist into the sea.
The encounter with the sea probably evoked spontaneous dread and astonishment rather than admiration. Only then did curiosity raise its head in the land-based beings—where does the sea go to, what comes after the sea, what does it hide? And these questions awakened the wish to make the sea traversible, navigable; to develop a vehicle similar to a fish from the raft, the boat. The boat that cuts through the water, that is carried by the water, that is moved forwards with a paddle or oar, that is directed by means of a rudder.
Man's creations do not always adapt to the landscape. On the contrary they often destroy it. But there is hardly a boat, a ship, that appears unnatural, that does not "fit into the scene" as a current expression demands. Ships hardly ever contradict the landscape, rather they live in harmony with it, enrich it.
Noah can safely be regarded as being the first seaman of the human race. When the Creator became dissatisfied with his created, he decided to exterminate them. Only Noah and his kin, a

de terre, que de tendres vagues viennent couvrir de leurs caresses. Des groupes d'îlots, des chaînes d'îles que la mer étreint sont les avant-gardes de la côte. Mais il y a aussi la résistance contre la mer. Des rochers, des écueils et des récifs, se refusent abruptement à l'eau qui déferle violemment sur eux. Un fjord, où la mer s'enfonce dans la terre, un cap, qui pousse son poing mouillé dans la mer.
L'homme qui vit la mer pour la première fois, ressentit sans doute plus de crainte et d'étonnement que d'admiration. C'est seulement plus tard que le terrien éprouva une certaine curiosité-où va la mer, qu'y a-t-il après, que contient-elle? Et préoccupé par ces questions, il lui vint le désir de rendre la mer praticable, de transformer le radeau en un véhicule pisciforme, la barque, qui coupe l'eau, qui flotte, actionnée par des pagaies ou des rames, orientée par un gouvernail.
Les constructions humaines ne s'adaptent pas toujours au paysage, au contraire, elles le détruisent quelquefois. Mais on voit rarement une barque, un esquif, un bateau qui soient contre nature, qui «n'aillent pas dans le paysage» comme on a l'habitude de dire. Les bateaux ne s'opposent presque jamais au paysage, mais vivent en harmonie avec lui, l'enrichissent.
Noé est sans doute le premier navigateur de l'humanité. Lorsque le Créateur fut mécontent de ses créatures, il décida de les exterminer. Il ne donna une chance qu'à Noé et aux siens:

Als ersten Bootsmann der Menschheit dürfen wir wohl Noah betrachten. Als der Schöpfer mit seinen Geschöpfen unzufrieden wurde, beschloß er, sie auszurotten. Nur Noah und den Seinen, einem „frommen Mann ohne Tadel, der ein göttliches Leben führte", gab er eine Chance. Er hieß ihn einen Kasten aus Tannenholz bauen, mit Kammern darin, die Fugen innen und außen verpicht. Mit einem Fenster und einer Tür in der Mitte, eingeteilt in drei Böden und drei Decks. Die Geschichte, wie darin Menschheit und Tierwelt gerettet wurden, ist bekannt. Während die Sintflut nur den Fischen wie Kabeljau, Hering und Dorsch, sicher auch dem Wal und vielleicht den Amphibien wie Frosch und Krokodil, kaum der Robbe und dem Nilpferd eine Möglichkeit zu überleben bot, mußten die anderen Tiere in der Arche überstehen. Die war eher ein schwimmendes Haus als ein Boot, sie brauchte ja nicht das Wasser zu durchpflügen, nur wie einst vor der Schöpfung der Geist Gottes auf den Wassern zu schweben. Dann ließ Gott die Erde versinken, das Wasser stieg, die Küsten verringerten sich, wurden schließlich ganz vom Wasser zugedeckt, es regnete und regnete, dazu taten sich die Brunnen aus der Tiefe auf. Erst nach vierzig Tagen kam die Erde wieder zum Vorschein, die Arche landete auf dem Berg Ararat – wo man heute noch ihre Reste vermutet –, und nun genehmigte der Schöpfer zum zweiten Mal Landschaft, schuf er zum zweiten Mal Küsten: „Solange die Erde steht,

"just man and perfect in his generations, and Noah walked with God", was given a chance. He commanded him to make an ark of gopher wood, with rooms in it, and pitch within and without. With a window and a door in the side, with lower, second, and third stories. The story of how man and living creatures were saved is well known. Whereas the flood offered the chance of survival to the fish such as cod and herring, certainly the whale, and perhaps amphibians such as frogs and crocodiles, hardly though the seal and hippopotamus, other animals had to last out in the ark. The ark was more of a swimming house than a boat, it did not need to plough through the water but rather to move upon the face of the water as did the spirit of God during creation. Then God let the earth sink, the waters increased, the coasts were thrown back, were finally completely covered by water, it rained and rained, in addition the springs rose up from the deep. Only after forty days did the earth finally reappear, the ark landed on Mount Ararat – where even today the remains are supposed to exist – and now the Creator granted land for the second time, for the second time he created coasts: "While the earth remaineth, seedtime, and harvest, and cold and heat, and summer and winter, and day and night shall not cease." And he set the rainbow as a sign of everlasting covenant between him and every living creature.
Man began, however, to conquer the sea as

«Noé était un homme juste et intègre». Il lui dit : «Fais-toi une arche de bois de gopher ; tu disposeras cette arche en cellules, et tu l'enduiras de poix en dedans et en dehors. Tu feras à l'arche une fenêtre, tu établiras une porte sur le côté de l'arche ; et tu construiras un étage inférieur, un second et un troisième.» On sait comment les hommes et les bêtes furent sauvés. Pendant le déluge, seuls les poissons comme le cabillaud, le hareng et la morue pouvaient survivre, la baleine aussi sans doute, et peut-être les amphibiens comme la grenouille et le crocodile, à l'encontre de l'otarie et de l'hippopotame. Les autres animaux durent se réfugier dans l'arche. C'était plus une maison flottante qu'une barque, parce qu'il ne lui fallait pas sillonner les eaux, mais, comme l'esprit de Dieu, «se mouvoir au-dessus des eaux.» Puis, Dieu fit disparaître la terre, l'eau monta, les côtes rétrécirent et les eaux finirent par les recouvrir complètement, les écluses du ciel s'ouvrirent et la pluie tomba sur la terre, et toutes les sources du grand abîme jaillirent. Au bout de quarante jours, la terre réapparut, l'arche s'arrêta sur les montagnes d'Ararat, et le Créateur fit don du paysage pour la seconde fois, il créa, pour la seconde fois, la côte: «Tant que la terre subsistera, les semailles et la moisson, le froid et la chaleur, l'été et l'hiver, le jour et la nuit ne cesseront point.» Et il plaça son arc dans la nue, pour qu'il serve de signe d'alliance entre lui et la terre.
Mais l'homme se mit à assujetir la mer, elle

soll nicht aufhören Saat und Ernte, Frost und Hitze, Sommer und Winter, Tag und Nacht." Und den Regenbogen setzte er als Zeichen des ewigen Bundes zwischen ihm und allen lebenden Seelen.

Der Mensch aber begann, sich auch das Meer untertan zu machen. Er schützte, gewitzt durch die Sintflut, die Küste mit Deich und Damm, er nahm dem Meer Land ab, er fuhr mit dem Schiff hinaus, um zu fischen oder um neue Küsten, neue Kontinente zu entdecken, er baute Häfen, um die Schiffe zu bergen und um über See gebrachte Waren ein- und auszuladen. Den Häfen gliederten sich Siedlungen an, in denen die Seefahrer, Schiffsbauer, Fischer und Händler wohnten. Viele dieser Städte, vor allem, wenn sie sich amphitheatralisch in einer Bucht bargen, wurden zur Kulturlandschaft, bestätigten die Ehe zwischen Land und Meer und zogen Schönheit und Nutzen daraus.

well. He protected the coasts with dykes and dams, taught by the experience of the flood, he won back land from the sea, he sailed out with ships to fish or to discover new shores, new continents, he built harbours to shelter the ships and to load and unload goods brought from over the seas. Settlements attached themselves to the harbours wherein seamen, ship builders, fishermen, and merchants lived. Many of these towns, above all when they amphitheatrically sheltered in a bay, became cultivated landscapes, confirmed the marriage between land and sea and drew therefrom beauty and benefit.

aussi. Rendu prudent par le déluge, il protégea la côte avec des jetées et des digues, il gagna du terrain sur la mer, il alla pêcher au large ou découvrir d'autres côtes, des continents nouveaux, il bâtit des ports pour y abriter les bateaux ou pour y embarquer et décharger les marchandises qu'il avait transportées sur les océans. Des agglomérations, où habitaient les marins, les constructeurs de bateaux, les pêcheurs et les marchands, se greffèrent sur les ports. Un grand nombre de ces villes, surtout quand elles s'abritaient dans l'amphithéâtre d'une baie, devinrent un paysage cultivé confirmant l'alliance entre la mer et la terre, alliant la beauté à l'avantage de leur situation.

Die verbindliche Brücke

The connecting bridge · Le pont en tant que trait d'union

Erde und Wasser, Himmel und Hölle, Königssohn und Königstochter. Das Wörtchen *und* verbindet, kopuliert. Es bildet eine Brücke zwischen den Begriffen. In der Sprache spielt die Brücke eine wesentliche Rolle: eine Brücke bauen, einem eine goldene Brücke bauen, Gegensätze überbrücken, unüberbrückbare Gegensätze, alle Brücken hinter sich abbrechen, einen Brückenkopf bilden, ein Sprung von dieser Brücke macht mich frei, Innsbruck, Osnabrück, Saarbrücken.
Die Brücke hat etwas Verbindliches, Verbindendes. Sie überwindet Hindernisse, die sich dem Menschen als tiefe Schlucht oder auch nur als Wasserlauf in den Weg legen. Was blieb den beiden Königskindern zu tun, die einander so lieb hatten und zusammen nicht kommen konnten, weil das Wasser viel zu tief war? Eine Furt suchen – Schweinfurt, Klagenfurt, Frankfurt –, aber die nützt nur bei niedrigem Wasserstand. Schwimmen lernen oder warten auf den Winter, der den Fluß mit Eis überbrückt, oder ein Floß bauen, oder eine Fähre benützen. Das alles sind Vorformen der viel praktischeren Brücke, die den Weg einfach auf den Buckel nimmt und ihn am anderen Ufer wieder absetzt.
Einen Drachen zähmen. Die Königstochter konnte ihn mit Versprechungen hinhalten, ihn in den Dienst des Königs stellen, ihn mit Beruhigungsmitteln oder Jungfrauen füttern, damit er mit dem Feuer, das er zu speien pflegte, das Schloß anheizte und dem König die Tabaks-

Earth and water, heaven and hell, prince and princess. The word *and* connects them, unites them. Forms a bridge between the ideas. In language the bridge plays an essential role: To establish a bridge-head, to burn one's bridges behind one, to build somebody a golden bridge to cross, to bridge over one's difficulties. Innsbruck, Osnabrück, Saarbrücken (compare Cambridge, Tonbridge, etc).
The bridge has something binding about it, something uniting. It overcomes obstacles to man in his way, such as gorges or just watercourses. What could the two royal children do, who were so fond of each other and could not come together because the water was too deep? Look for a ford—Schweinfurt, Klagenfurt, Frankfurt (compare Oxford, Bedford, Guildford, etc.), but a ford is only useful when there is little water. To learn to swim or wait for winter when the river is bridged over with ice, or build a raft, or use a ferry. All these are forerunners of the much more practical bridge, which simply takes the way on its back and puts it down on the other bank.
To tame a dragon. The princess was able to hold him off with promises, to put him into the service of the king, to feed him with sedatives or virgins, so that he could heat the castle and light the king's pipe with the fire he was spitting. Whenever the princess wanted to cross the water to go to the prince the dragon laid itself across the river, its tail flowed as a bridge train through the bridge gate, its back formed a

La terre et l'eau, le ciel et l'enfer, fils de roi et princesse. Le mot «et» relie, copule. C'est un pont entre les concepts. Dans la langue, le pont joue un grand rôle: jeter un pont, faire un pont d'or à quelqu'un, ménager un pont, couper les ponts, faire une tête de pont, faire le pont, Innsbruck, Osnabrück, Saarbrücken (N.d.t.: pont = all. Brücke).
Le pont est un trait d'union qui relie les choses entre elles. Il franchit les obstacles, les ravins profonds ou les cours d'eau qui barrent la route à l'homme. Que devaient-ils faire, ces deux enfants de rois, qui s'aimaient et ne pouvaient se rejoindre, gênés par la profondeur de l'eau? Chercher un gué (N.d.t.: le gué = all. Furt: Schweinfurt, Frankfurt, Klagenfurt)? Mais il n'est praticable qu'à eau-basse. Apprendre à nager, ou attendre l'hiver, qui jetterait un pont de glace sur le fleuve, construire un radeau, ou prendre le bac? Voilà les précurseurs de l'invention tellement plus pratique qu'est le pont, qui prend tout simplement le chemin sur son dos et le dépose sur l'autre rive.
On peut dompter un dragon. La fille du roi savait le faire patienter avec des promesses, l'enrôler au service de son père, le nourrir de calmants ou de vierges. Elle lui faisait cracher du feu pour chauffer le château et pour allumer la pipe du roi. Quand la princesse voulait rejoindre son prince charmant, sur l'autre rive, le dragon s'allongeait en travers du fleuve, sa queue formait la culée, son dos servait d'arche, sa tête, de tête de pont. Et la princesse sautil-

Da geht ein Mühlenrad . . .

There is a mill wheel turning · La roue du moulin tourne

Eine der bedeutendsten Erfindungen der Menschheit ist das Rad. Mit seinem geringen Reibungswiderstand erleichtert es die Fortbewegung, es ist fähig, Kräfte zu übertragen und umzusetzen, im Ebenmaß der Kreisform ist es formschön. So verbindet auch das Mühlrad praktischen Nutzen und ästhetischen Reiz. Wo die Brücke das Wasser als Hindernis überwindet, da nützt das Mühlrad die Kraft des Wassers aus.

Ursprünglich wurden Mühlen von Hand betrieben; Kaffeemühle und Pfeffermühle erinnern noch daran. Die Mühle ist eine Verbesserung des Mörsers, mechanisches Mahlen erfordert weniger Arbeit als Zerstampfen, die Mühle kann zwischen grob und fein so eingestellt werden, daß das Mahlgut gleichmäßige und zweckmäßige Granulation bekommt: grober Pfeffer, staubfeines Mehl. Schon bei Moses wird die Mühle erwähnt: Auch „die Magd, die hinter der Mühle steht", verliert ihre Erstgeburt, und das Volk in der Wüste lief hin, sammelte Mannakörner und „sties sie mit mülen". Später wurden Mühlen von Pferden und Eseln angetrieben, erst dann baute man sie an das Wasser, und das aus dem Lateinischen stammende Wort Mühle bezeichnete sowohl das Mühlwerk wie das umschließende Gebäude. Die Mühle, im Mühlgrund an einem Bach oder einem Fluß gelegen, war durch ihre romantische Lage schon immer ein ästhetischer Vorwurf für den Maler, den Dichter, den Musiker. Einsam, eingebettet in Natur, das den Lebens-

One of man's most important inventions is the wheel. With its low frictional resistance it eases the problem of locomotion. It is capable of transmitting and transforming energy, it is pleasing to the eye because of its symmetrical circular form. Thus the mill wheel combines usefulness and aesthetic attraction. Whereas the bridge overcomes the obstacle of water, the mill wheel takes advantage of the power of water.

Originally mill wheels were powered by hand; coffee-mills, pepper-mills, remind one of this. The mill is an improvement of the mortar, mechanical milling requires less work than pounding. The mill can be regulated between fine and coarse so accurately that the grinding stock acquires an even and practical structure: coarse pepper, flour as fine as dust. The mill was mentioned as early as the time of Moses: "The maid who stands behind her mill" loses her first-born, and the people went out into the desert to gather manna and "prepare" it. Later still mills were powered by horses and donkeys, only then did one build them on the water. The word mill, which comes from the Latin, denotes both the mill itself as well as the building surrounding it. The mill, usually by a stream or a river, has always been an aesthetic object for the painter, the poet, the musician, thanks to its romantic location. Lonely, imbedded in nature, the mill-wheel is symbolic of a way of life and the course of the world, the rhythmic noise of the water and the working of the mill,

Une des inventions les plus importantes de l'homme est la roue. On peut s'en servir pour avancer, puisque sa friction est peu importante. Elle peut transmettre des forces et en tirer rendement. Et le cercle est une forme harmonieuse et belle. Ainsi, la roue est un objet à la fois pratique et esthétique. Si le pont permet de dominer l'eau, la roue, elle, en tire profit. A l'origine, on faisait tourner manuellement les moulins comme, aujourd'hui encore, les moulins à café et les moulins à poivre. Le moulin est un mortier amélioré, et la mouture mécanique exige moins d'efforts que l'écrasement du grain. On peut régler le moulin de façon que le produit, moulu gros ou moulu fin, soit de qualité régulière et adéquate: poivre gros, farine extra-fine. Dans les livres de Moïse, on mentionne déjà le moulin: la servante qui se tient derrière le moulin, perdra son premier-né, et le peuple sortira et ramassera des grains de manne pour les broyer. Puis, des ânes et des chevaux firent tourner les moulins, que l'on installa, par la suite, au bord de l'eau. Le mot «moulin» vient du latin et désignait à la fois le mécanisme et le bâtiment qui l'entourait. Le moulin, dans le fond d'un vallon romantique, au bord d'un ruisseau ou d'une rivière, a toujours servi de modèle aux esthètes, aux peintres, aux poètes et aux musiciens. Il est solitaire, perdu dans la nature, et sa roue symbolise le cours de la vie et de l'univers. Le bruit rythmé de l'eau et des rouages, la blancheur et la fraîcheur de la farine, tout cela impres-

Wein hat ans Wasser gebaut

Wine is grown by the water · La vigne pousse au bord de l'eau

Wie kommen wir vom Müller zum Wein? „Wenn der Müller Wasser hat, dann trinkt er Wein. Hat er kein Wasser, dann trinkt er Wasser", sagt der Volksmund und meint damit, wenn der Müller eine Arbeitskraft hat, die er ausbeuten kann, nämlich das Wasser, das seine Mühle treibt, dann kann er sich erlauben, Wein zu trinken. Dann kann er sich einen genehmigen. Hat er aber keine Arbeitskraft, die für ihn schafft, dann muß er sich mit einem Wassertrunk begnügen.

Wie der Müller, so hat auch der Wein nah ans Wasser gebaut. Er bevorzugt Flußtäler, also schöne Landschaften, und er verschönt Landschaft. Als der Schöpfer das Land vom Wasser getrennt hatte, dachte er darüber nach, wie er das Land wohlgefällig machen könne. Er formte allerlei Reiser, pflanzte sie in den Boden und sprach zu ihnen: „Werde eine Eiche, eine Buche, eine Tanne, eine Palme." Am Ende war ihm ein Reis übriggeblieben, mit dem er nichts anzufangen wußte, weil überall, wo ein Baum Platz hatte, schon einer zu wachsen begann. Da nahm er dies letzte Reis und pflanzte es auf einen Berghang, wo der vielen Steine wegen nur wildes Gras wuchs. „Du sollst die Rebe sein", sagte der Schöpfer.

Eibe und Buche und Kirschbaum wuchsen in den Himmel, die Rebe jedoch tief in den Boden, und wie jene eine Krone trugen, hatte sie ein Wurzelwerk, das sich in die feinsten Gesteinsfalten zwängte, über der Erde aber zeigte sie nur knorriges Holz. Da lachten alle Pflan-

How do we come from the miller to wine? There is a popular saying: "When the miller has water, then he drinks wine. If he has no water, then he drinks water". This means that when the miller has a worker he can exploit, the water, to drive his mill, then he can permit himself to drink wine. If he has no worker to work for him, then he must be satisfied with a drink of water.

Like the miller, wine has also settled itself by the water. It prefers river valleys, beautiful landscapes, and it improves the landscape. When the Creator separated the land from the water he mulled over just how he could make the land more pleasant. He made all sorts of sprigs, planted them in the ground and bade them: "Become an oak, a pine tree, a palm." When he had almost finished there was one sprig left over. He didn't know what to do with it because everywhere a tree might have place there was already one growing. So he took the last sprig and planted it on a hilly slope where only wild grass grew because of the many stones. "Thou shalt be the vine", said the Creator.

Yew and beech and cherry tree grew to the sky, but the vine grew deep into the ground, and whereas the others wore a crown it had roots that forced themselves into the finest cracks in the rocks. Above the earth though was only gnarled wood. All the other plants laughed at the vine, which complained to the Creator. He, however, said: "The last shall be

Quelles sont les affinités entre le meunier et le vin? «Si le meunier a de l'eau, il boit du vin. S'il n'a pas d'eau, il boit de l'eau,» dit la sagesse populaire: quand le meunier peut exploiter la force de l'eau, qui fait marcher son moulin, elle lui permet de boire du vin; il ira boire un coup. Si l'eau lui refuse son aide, il doit se contenter d'en boire.

Comme le meunier, le vin aussi «a recherché la proximité de l'eau.» Il aime les vallées fluviales, les beaux paysages, et il les embellit. Lorsque le Créateur eut séparé la terre des eaux, il se demanda comment il pourrait la rendre agréable. Il forma toutes sortes de pousses, les planta dans le sol et leur commanda: «Deviens chêne, deviens hêtre, deviens sapin, deviens palmier.» A la fin, il lui resta une pousse, dont il ne savait que faire, parce que les arbres poussaient partout où il y avait de la place. Alors, il prit cette dernière pousse et la planta sur un côteau au sol rocailleux, envahi de mauvaises herbes. «Et tu seras la vigne», dit le Créateur. L'if, le hêtre et le cerisier levèrent leurs branches vers le ciel, la vigne s'enfonça dans la terre, et tandis que les autres se couvraient d'une cime, elle avait des racines qui s'introduisaient dans les moindres fissures du sol rocheux, alors que, sur la terre, elle tordait son bois noueux. Toutes les autres plantes se moquèrent d'elle, et elle s'en plaignit auprès du Créateur. Mais celui-ci répondit: «Les derniers seront les premiers. Puisque tu as été la dernière pousse, je m'occuperai particulièrement de toi. Patience!»

zen über die Rebe, die sich darüber beim Schöpfer beklagte. Der aber sagte: „Die Letzten werden die Ersten sein. Weil du das letzte Reis warst, will ich dir meine besondere Liebe schenken. Hab Geduld!"

Es kam die Zeit des Blühens, und die Rebe hatte nur unscheinbare Blüten, und es kam die Zeit des Reifens, da alle Sträucher und Bäume Frucht trugen. Die Eicheln und Bucheckern riß der Wind ab und zerstreute sie in alle Himmelsrichtungen. Die Rebe aber trug schöne glatte Trauben. Die Vögel des Himmels kamen, um an ihnen zu picken, und später kamen die Menschen, um sie zu kosten, und hernach pflückten sie die Trauben, um aus ihnen Wein zu keltern. Da war die Rebe glücklich, und der Schöpfer sagte: „Unter allen Pflanzen sollst du geheiligt sein. Du sollst dem Menschen Freude schenken. Du sollst ihn vergessen machen, daß er im Schweiße seines Angesichts sein trockenes Brot ißt, weil er vom Baum der Erkenntnis genascht hat. Du sollst ihn aufheitern in seiner Trübsal. Du gibst ihm den Wein, damit er nicht zu viel weinen muß. Deinen Wein will ich zu meinem Blut machen und mit ihm die Welt erlösen."

Die Rebe wurde anspruchsvoll. Sie suchte sich die schönsten Landschaften aus. Sie nährte sich von den vier Elementen. Aus der Erde zog sie Wasser, nahm ihre Mineralstoffe auf und verwandelte sie in köstlichen Duft und Geschmack. Mit ihren Blättern atmete sie die Luft, fing sie das Feuer der Sonne. Die Rebe

first. As thou wast the last sprig, I shall especially love thee. Be patient!"

Blossoming time came and the vine had only insignificant blossoms. Ripening time came and all shrubs and trees bore fruit. The wind tore off the acorns and beech-nuts and scattered them in all directions. The vine, however, bore fine glossy grapes. The birds of heaven came to peck at them, later man came to taste them, and thereafter they picked the grapes to press wine out of them. Then the vine was happy, and the Creator said: "Amongst all plants thou shalt be hallowed. Thou shalt fill mankind with joy. Thou shalt make him forget that he eats his bread in the sweat of his face because he nibbled of the tree of knowledge. Thou shalt brighten him up in his misery. Thou shalt give him wine so that he shall not cry. I shall turn thy wine into blood and redeem the world with it."

The vine became exacting. It sought out the most beautiful landscapes, nurtured itself from the four elements, drew water from the earth, took in mineral substances and changed them into a delicious fragrance and taste. Its leaves breathed in the air, captured the fire of the sun, adorned river banks. Wherever the vine grew, there chapels were built; wherever churches and monasteries were built, there vineyards were laid. Vineyards hung like necklaces around the hill tops, castles, and churches. Vineyards fell down like cascades from the hills to the river. In winter their stakes became

Vint la floraison, et les fleurs de la vigne étaient insignifiantes, puis vint le temps où les buissons et les arbres voient mûrir leurs fruits. Le vent arracha les glands et les faines et les dispersa aux quatre coins. La vigne, cependant, portait de beaux raisins lisses. Les oiseaux du ciel les picorèrent, puis l'homme arriva pour les goûter, et il se mit à les cueillir pour en presser le vin. La vigne s'en réjouit, et le Créateur dit: «Tu seras bénie d'entre toutes les plantes. Tu apporteras la joie. Tu aideras les hommes à oublier qu'ils mangent leur pain à la sueur de leurs visages, pour avoir voulu goûter à l'arbre de la connaissance du bien et du mal. Tu dois l'égayer dans son chagrin. Tu lui donneras le vin pour l'empêcher de sombrer dans la tristesse. Ton vin sera mon sang et il sauvera le monde.»

La vigne devint exigeante. Elle se choisit les plus beaux paysages. Elle se nourrit des quatre éléments. Elle but l'eau de la terre et en prit les minéraux, dont elle tira un goût et un parfum délicieux. Ses feuilles respirèrent l'air, captèrent le feu du soleil. La vigne est l'ornement des rives du fleuve. Là, où on la cultivait, on construisit des chapelles, et là, où l'on construisait des églises et des monastères, on cultiva la vigne. Les vignobles enlaçaient des collines, les citadelles, les églises et les châteaux. Leurs terrasses descendaient en cascades du sommet des côteaux jusqu'aux berges du fleuve. En hiver, leurs tuteurs se hérissaient comme des lances pointées vers le ciel. La

zierte Flußufer. Wo Wein angebaut wurde, da baute man auch Kapellen, und wo man Kirchen und Klöster baute, da baute man Wein an. Weinberge hängten sich wie Halsketten um Bergkuppen, um Burgen, Kirchen und Schlösser. Weinberge fielen wie Kaskaden in Terrassen von den Hügeln zum Fluß hinunter. Im Winter starren ihre Pfähle wie Lanzen in den Himmel. Die knorrige Rebe hängt im späten Frühling zartgrüne Blätter aus, die im Herbst in übermütiges Gelb, feuriges Rot, warmes Braun ausbrechen.

Noah war der erste Weingärtner. „Noah aber fing an und ward ein Ackermann und pflanzte Weinberge. Und da er von dem Wein trank, ward er trunken und lag in der Hütte aufgedeckt", liest man im 20. Kapitel des ersten Buchs Moses.

Noah war also auch der erste Mensch, von dem berichtet wird, daß er einen Rausch hatte, in dem er die hemmenden Schranken der Schicklichkeit durchbrach. Lot trieb es noch schlimmer: Seine Töchter machten ihn betrunken und legten sich zu ihm, „und er ward's nicht gewahr, daß sie sich legten, noch da sie aufstanden". Ohne Wein gäbe es also keine Moabiter und keine Ammoniter, die Lots Töchter von ihrem trunkenen Vater gebaren.

Der Weinbau macht nicht nur die Landschaft lieblicher, er verändert auch die Menschen. Dort, wo Wein gedeiht, sind sie fröhlicher, umgänglicher, freundlicher, lebenslustiger.

rigid like lances pointing to the heavens. In late spring the gnarled vine hangs out delicate green leaves that break out into brilliant yellow, fiery red, warm brown in autumn. Noah was the first winegrower. "And Noah began to be a husbandman, and he planted a vineyard: And he drank of the wine, and was drunken; and he was uncovered within his tent", can be read in the 20th chapter of Genesis.

Noah was also the first human of whom one says that he was intoxicated and broke through the cumbersome barriers of propriety. Lot was much worse: his daughters made him drunk and laid themselves down with him, "and he perceived not when she laid down, nor when she arose". Without wine there would have been no Moabites and Ammonites, who were born from the union between Lot's daughters and their drunken father.

Winegrowing did not only make the landscape more charming, it changed man himself. Where wine thrived they became more joyful, more sociable, friendlier, merrier.

vigne noueuse se couvrait à la fin du printemps de feuilles d'un vert tendre, à l'automne de couleurs écarlates, jaune exubérant, rouge flamboyant, brun chaleureux.

Noé fut le premier vigneron. «Noé commença à cultiver la terre, et planta de la vigne. Il but du vin, s'enivra, et se découvrit au milieu de sa tente». C'est ce qu'on peut lire au 9e chapitre de la Genèse. Noé fut donc le premier homme à qui l'ivresse fit outrepasser les bornes de la décence. Lot était pire encore: ses filles l'enivrèrent et s'allongèrent près de lui. «Et il ne s'aperçut ni quand elle se coucha, ni quand elle se leva». Sans le vin, il n'y aurait eu ni les Moabites, ni les Ammonites, que les filles de Lot enfantèrent de leur père ivre.

Le vignoble ne rend pas seulement le paysage plus doux, il change aussi les hommes. Là, où le vin pousse, ils sont plus gais, plus ouverts, plus aimables et ils aiment mieux la vie.

Ein feste Burg

Ein feste Burg (A Fortified Castle) · Un château fort

Wenn Luther Gott „ein feste Burg" nennt, so will er mit dieser Metapher die Verwandtschaft des Wortes Burg mit Geborgensein aufzeigen. Burgen und Burgruinen bestimmen zwar oft das Landschaftsbild als Blickpunkt und Augenweide, sind aber reines Menschenwerk. Auch der Bürger, der ursprünglich Bewohner der Burg war, lebte später nur in ihrem Schatten, in den Städten, die sich gelegentlich unter den Fittichen einer Burg bildeten. Zahlreiche Städtenamen weisen noch darauf hin: Straßburg, Hamburg, Augsburg, Magdeburg. Im Mittelalter gab es drei Stände: den Adel, der zu seinem Schutz Burgen baute, die einen weiten Blick ins Land erlaubten und dem ersten Ansturm des Feindes widerstanden. Der Bürger war dem landbeherrschenden Burgherrn untertan, machte sich bisweilen in den Reichsstädten von ihm frei, während der dritte Stand, der Bauer, Kriegs- und Frondienste leistete.

Obwohl die Burg vor allem militärischen Zwecken diente, löst das Wort heute romantische, gemütvolle Assoziationen aus: Minnesänger, Burgfräulein, Burgfrieden, Burggraf, Burgbeleuchtung. Die Wartburg mit der heiligen Elisabeth, dem Ritter Tannhäuser, dem Sängerstreit als Vorwurf für große Oper, auch Zufluchtsort für den Rebellen Luther, der dort das Tintenfaß gegen den Teufel schleuderte. Der Burghof von Jagsthausen als Theaterbühne für den Götz von Berlichingen, einen Raubritter, den Goethe poetisch nobilitiert

When Luther called God a "fortified castle" (mistranslated in English as a "rock of ages") then he meant to show with this metaphor the affinity of the expression "fortified castle" or "fortress" with the feeling of security. Castles and castle ruins often dominate the landscape as visual points and delights for the eye, but they are entirely the work of man. Even the citizen, who was originally an inhabitant of the castle, was to live later in their shadow, in the towns that were occasionally built under the protecting wings of a castle. Many town names show this today: Hamburg, Augsburg, Magdeburg (in England the direct derivative is *borough* coming from *burh*—Middlesborough, Peterborough, and of course *castle*—Newcastle).

In the Middle Ages there were three different classes: aristocracy, which built castles for its protection, allowing a wide view over the land and throwing back the first attack of the enemy. For this reason most castles were built on dominating peaks. The citizen was the subject of the controlling lord of the castle, escaping sometimes into the free towns. Whereas the third class, the farmer, carried out military service and compulsory labour.

Although the castle above all served military purposes, the word awakens today romantic, affectionate associations: Minnesingers, young ladies of the castle, truces, burgraves, castle illumination. The Wartburg with the saintly Elisabeth, the knight Tannhauser, the min-

Si Luther appelle Dieu «notre citadelle», c'est qu'il veut montrer par cette métaphore, que le château fort, entouré de remparts, est un lieu où l'on se sent sûr et à l'abri. Les châteaux forts et leurs ruines sont souvent un plaisir des yeux et les centres d'attraction du paysage. Mais ils sont une œuvre purement humaine. Même les bourgeois (les «Bürger») qui, à l'origine, avaient habités les «Burg», ne vécurent plus tard que dans l'ombre des citadelles, dans les villes, qui se formèrent sous leur protection. Les noms de ville le prouvent encore bien souvent: Strassbourg, Hamburg, Augsburg, Magdeburg. Au Moyen âge, il y avait trois états: la noblesse, qui construisait des châteaux forts pour se protéger, pour surplomber le pays et pour résister aux attaques de l'ennemi. C'est pourquoi les châteaux se dressaient, le plus souvent, au sommet de buttes dominantes. Le bourgeois était le vassal de son seigneur, mais il se libérait quelquefois de sa servitude dans les villes franches, tandis que le tiers état, le paysan, était soumis à la corvée civile et militaire.

Bien que le château fort servît, avant tout, à des fins militaires, le mot évoque aujourd'hui une atmosphère romantique et merveilleuse: des troubadours, des demoiselles, la trêve de Dieu, les burgraves, la lueur des chandelles. Le château de la Wartburg, avec sa châtelaine, Sainte Elisabeth, était le théâtre du concours des ménestrels, que fréquenta le chevalier Tannhäuser et où Luther, le rebelle qui s'y réfugia, lança son encrier contre le diable. Le

und durch den schwäbischen Gruß volksnah gemacht hat. Selbst die Burgruinen, Opfer von Krieg, Brand und Rebellion, lösen noch die angenehmsten romantischen Gefühle aus. Burgen dienten vor allem den sogenannten Geschlechtern als Heimstatt. Aber das Leben auf der Burg war alles andere als heimelig. Zugige Fenster ohne Glas, keine sanitären Einrichtungen, schwer heizbar, wenig Kommunikationsmöglichkeiten mit Gleichgesinnten, Standesgenossen, Ärger mit dem Gesinde und den Untertanen, spukende Vorväter, Fehden mit benachbarten Burgherren. Wie anders konnte man sich da die Zeit vertreiben als durch galante Abenteuer, das Ius primae noctis, aufwendige Treibjagden, Techtelmechtel mit Knappen und Minnesängern, die dann totgeschlagen oder ins Burgverlies geworfen wurden. Belagerungen brachten etwas Abwechslung: Die Felder waren verwüstet, die Bauern im Kriegsdienst umgekommen, die Stadt gebrandschatzt, blieb noch die feste Burg übrig, in der sich der Standesherr mit seinen Soldaten und seiner Familie bei hochgezogener Brücke verschanzt hatte. Feuer durch die Schießscharten, siedendes Pech durch die Pechnasen, Rammböcke gegen das Tor, Steigleitern. So ließ sich das Leben ein paar Monate aushalten. Das Wasser und die Nahrung wurden knapp, und entweder zogen die Belagerer unverrichteter Dinge ab, zum Ausgleich da noch ein wenig schändend, dort noch ein wenig plündernd, um bald selbst belagert zu werden,

strels' contest as subjects for grand opera, also place of refuge for the rebel Luther, who hurled the inkwell from there against the devil. The courtyard of Jagsthausen as theatre stage for Götz von Berlichingen, a robber-knight poetically enobled by Goethe and popularised by the Swabian greeting. Even the castle ruins, victims of war, conflagration and rebellion, arouse pleasant, romantic feelings.
Castles served above all the so-called aristocratic families as home. But life in the castle was anything but homely. Draughty windows without glass, almost no sanitary installations, difficult to heat, hardly any possibility of communicating with like-minded compeers, vexation with the servants and the farming-hands, haunting ancestors. Feuds with neighbouring castle lords. How else could one amuse oneself other than by gallant adventures, the ius primae noctis, expensive battues, flirtations with pages and minnesingers who were then killed or thrown into the castle dungeons. Sieges brought some variety to life : fields were ravaged, farmers perished in military service, towns were plundered, only the feudal castle was left over in which the lord with his soldiers and family were entrenched behind a raised drawbridge. Fire through the embrasures, boiling pitch through the machicolations, rams against the gate, ladders. So life was made endurable for a few months. Water and food became scarce, either the besiegers withdrew without having accomplished anything and as

nom du château de Jagsthausen, scène de Götz von Berlichingen que Goethe a annobli et rendu populaire par son fameux «salut souabe». Même les ruines, victimes des guerres, des incendies et des rébellions éveillent en nous des sentiments romantiques très agréables.
Les châteaux forts étaient, tout d'abord, la demeure des seigneurs. Mais la vie de château manquait de confort. Des courants d'air passant par des fenêtres sans vitres, le sanitaire inexistant, un chauffage impossible, pas de contacts humains avec ceux de sa caste, des ennuis avec les valets et les sujets, les fantômes des aïeux, des querelles avec les suzerains du voisinage. Comment passer le temps ? On avait des aventures galantes, le «jus primae noctis», des chasses à courre fastueuses, les «mamours» avec les valets et les troubadours, que l'on faisait tuer ensuite, ou jeter dans les oubliettes. Le siège des citadelles apportait quelque diversion : les champs étaient dévastés, les paysans morts en guerre, la ville pillée, il ne restait plus que la solide citadelle, dans laquelle le seigneur s'était barricadé avec ses soldats et sa famille, derrière son pont-levis. Le feu passait par les meurtrières, la poix bouillante par les mâchicoulis, les béliers heurtaient la porte, des échelles se dressaient contre les murailles. Et quelques mois s'écoulaient ainsi. L'eau et les vivres se faisaient rares, les assiégeants abandonnaient la place et cherchaient compensation par-ci par-là en violant et en pillant, avant

oder sie nahmen die Burg in ihren Besitz, rotteten das feindliche Geschlecht aus, nicht ohne vorher die Damen zu vergewaltigen, bezogen selbst die Burg oder legten sie als späteres Wanderziel für den Schwäbischen Albverein in Schutt und Asche.

Waren die Burgherren eines langweiligen Friedens oder der ewig gleichen Ehefrau überdrüssig, so zogen sie unter dem Vorwand, das Grab des Gottessohns befreien zu müssen, auf einen Kreuzzug. Häufig brachten sie von diesen mittelalterlichen Vorgängern der Kegelausflüge eine Zweitfrau, eine neue Rebe für den Weinbau oder eine neue Krankheit mit. Bevor sie auszogen, legten sie ihrer Frau einen Keuschheitsgürtel um, verriegelten das Schloß, gaben den Schlüssel dem besten Freund zur Aufbewahrung, dieser kam dann nach zwei Tagen in sausendem Galopp dem Aufgebot nachgehetzt und meldete atemlos: „Ritter Dankwart, Ihr habt den falschen Schlüssel hinterlassen" – eine Schusselei, die bisweilen zu neuen Fehden, neuen Belagerungen, neuem Frauenraub Anlaß gab und den Kreuzzug erübrigte.

So war das Leben auf der Burg voller Geschichten und voller Abenteuer. Kein Wunder, daß die Burg im letzten Jahrhundert wieder in Mode kam. Villen und Verbindungshäuser glichen mittelalterlichen Burgen, auch Geschlechter, die ihre Stammburg verloren hatten, bauten sie jetzt romantisierend in altem Stil schwelgend als Symbol hoher Herkunft, als Wohnsitz und als Touristenziel nach.

compensation a little spoiling, a little looting, a short while later to be besieged themselves, or they took possession of the castle, wiped out the enemy family, not without having raped the ladies first, occupied the castle themselves or reduced it to rubble and ashes to become a hiking destination later.

Whenever the castle lords were weary of a boring peace or the everlasting, unchanging wife they left under the pretext of setting free the tomb of the Son of God, on a crusade. Even when that did not succeed they often brought back as Middle Age equivalent of a bowling outing a second wife, a new vine for the vineyard, or a new illness. Before they left they put a chastity belt about their wives, locked it, gave the key to the best friend for safe keeping. This friend hastened to the troop after two days in a dashing galop and announced breathlessly: "Knight Dankwart, you left the wrong key behind"–a maladroitness which sometimes gave occasion to a new feud, new sieges, new rapes, and made the crusade superfluous.

Thus it was that life in the castle was full of events and adventure. Small wonder that the castle came into fashion again during the last century. Villas and students' fraternity homes resembled medieval castles, also families who had lost their ancestral homes rebuilt them, romantically in the old style, luxuriating in the symbol of high-born origin, as home and tourist attraction alike.

d'être assiégés à leur tour ; ou bien, ils prenaient le château, exterminaient l'ennemi après avoir violé les dames, s'installaient sur les lieux ou les saccageaient : futur lieu d'excursion pour les «Amis du Jura souabe».

Quand les seigneurs étaient las d'une paix monotone ou d'une sempiternelle épouse, ils partaient en croisade, prétextant devoir libérer le Saint-Sépulcre. Même si elles échouaient, ils ramenaient de ces excursions, qui préfiguraient les sorties des clubs de pétanque, une concubine, un nouveau cep de vigne ou une nouvelle maladie. Avant de partir, ils mettaient à leur épouse une ceinture de chasteté, qu'ils verrouillaient et dont ils confiaient la clé à leur meilleur ami. Deux jours plus tard, celui-ci les rejoignait, ventre à terre, et s'écriait, à bout de souffle : «Seigneur, vous avez laissé la mauvaise clé» – une étourderie qui provoquait parfois de nouvelles querelles, de nouveaux sièges et de nouveaux enlèvements, ce qui rendait alors la croisade inutile.

Ainsi se passait la vie au château, au milieu des histoires et des aventures. Il ne faut pas s'étonner, que la citadelle redevînt à la mode au siècle dernier. Les maisons bourgeoises et les maisons de corporations estudiantines ressemblaient à des châteaux forts moyenâgeux. La vieille noblesse, elle aussi, qui avait perdu ses châteaux de famille, en faisait des copies romantiques, symboles de leur haute lignée, pour y habiter ou pour les livrer aux touristes.

Solche und solche Schlösser

Castles · Il y a châteaux et châteaux

Im Lauf der Geschichte indessen arteten die provinziellen Fehden der Burgherren zu Feldzügen, die Feldzüge zu Kriegen aus. Die Burg, die nur wenigen Leuten Schutz bot und nur dem Angriff kleinerer Haufen ausgesetzt war, konnte den Kriegsheeren nicht standhalten. Sie verwandelte sich, zunächst ohne ihren beherrschenden erhöhten Standpunkt aufzugeben, in ein komfortableres Schloß. Ursprünglich wurde dieses Wort auf jeden Gegenstand angewendet, der den Zweck hatte, eine Öffnung zu verschließen, vom Keuschheitsgürtel bis zu dem, was darunter liegt, wenn man Uhland glauben darf: „Schön Jungfräulein, hüte dich fein! Heut nacht wird dein Schlößlein gefährdet sein." Schließlich wurde der Begriff Schloß auch ziemlich gleichbedeutend wie Burg, er meinte nämlich eine Wegsperre durch eine Warte oder Feste. Mit der Zeit, als das Schloß vom Berg herunterstieg, verengte sich aber die Bedeutung des Wortes. Man verstand darunter weniger eine militärische Anlage, eine befestigte Burg, der Glanz des Baus trat mehr in den Vordergrund, Schloß nannte man einen reichen Herrensitz, der nicht aus der Landschaft herauswuchs, sondern sie bestimmte.

Das Wasserschloß war ein Zwitter zwischen Festung und Repräsentationsgebäude. Zunächst diente das Wasser, das den Schloßgraben füllte, als zusätzliches Hindernis für feindlichen Ansturm, mit der Zeit aber hatte es nur noch dekorative Bedeutung, diente es wie im

Meanwhile in the course of history the provincial feuds between the castle lords degenerated to expeditions, the expeditions to wars. The feudal castle, which used to offer but a few people protection and was only exposed to attack by small numbers, could not withstand the army. Without at first giving up its dominating, elevated standpoint it turned into a more comfortable castle (German *Schloß*) or mansion. Originally this word *(Schloß)* was applied to those objects serving the purpose of sealing up an opening—from the chastity belt down to that which lies beneath, if one is to believe Uhland: "Lovely maiden, take fine care! This very night thy lock will be in danger." Eventually the notion of *Schloß* became almost the same as *Burg* (fortified castle), it meant a barring of the way by means of a watch-tower or stronghold. With time as the castle descended from the hill the meaning of the word contracted. It meant not so much a military installation, a strengthened fortress, but rather the pomp of the building thrust itself more to the forefront. A rich mansion was called a *Schloß* that did not grow out of the landscape but rather dominated it.

The castle with a moat was a cross between stronghold and representative building. To begin with the water that filled the moat served as an extra obstacle for enemy attack; with time, however, it became purely decorative, was used for adornment as was the castle lake and castle well.

Au cours de l'histoire, les querelles de voisinage des seigneurs dégénérèrent en campagnes, les campagnes en guerres. La citadelle était un abri exigu, le nombre de ses attaquants était restreint, et elle ne pouvait plus tenir contre les armées. Elle se transforma en un château plus confortable, sans abandonner, tout d'abord, l'éperon où elle se dressait.

A l'origine, le mot «Schloß» caractérisait tout ce qui fermait une ouverture à double tour, et si l'on en croit Uhland, il désignait de la sorte la ceinture de chasteté, aussi bien que son contenu. «Belle pucelle, sois sur tes gardes, on en veut, cette nuit, à ton petit château». Puis le château devient synonyme de citadelle, car il impliquait la notion d'obstacle, sous forme de donjon ou de place forte. Avec le temps, lorsqu'il se mit à descendre de ses hauteurs, la signification du mot château se fit de plus en plus restreinte. C'était moins une construction militaire, un château fort, qu'un édifice glorieux, une riche demeure seigneuriale qui dominait le paysage au lieu d'y prendre racine. Le château construit au milieu des douves, était un croisement entre la citadelle et la résidence représentative. Tout d'abord, l'eau qui remplissait les fossés était un obstacle supplémentaire pour contrecarrer les attaques ennemies, mais peu à peu, elle ne devint plus qu'un élément décoratif, avec les bassins et les jets d'eau.

Certes, les châteaux de plaisance, les châteaux de chasse et les châteaux entourés d'eau

Droben stehet die Kapelle …

Up there stands the chapel … · En haut, sur la montagne, il est un vieux clocher …

Schloß und Kirche, Thron und Altar repräsentieren die weltliche und die geistliche Herrschaft, die in der Zeit des Feudalismus meist verbündet waren. Hatte der Schöpfer nach der Sintflut den Regenbogen als Zeichen des Bündnisses mit dem Menschen gesetzt, so baute der Mensch Gotteshäuser, Kirchen und Kapellen, um seinen Bund mit Gott, um Gottes Herrschaft auf Erden zu demonstrieren. Der Kirchturm als Zeigefinger, der den im Jammertal Lebenden den Weg in die Herrlichkeit wies und ihnen die diesseitige Fron erträglich machte. Im krassen Gegensatz zu den elenden Behausungen mancher Gläubigen stand die Kirche als Palast Gottes und bot oft mehr Platz für die Gemeinde, als die Stadt Einwohner hatte. Glockengeläut als Aufforderung zum Kirchgang und als Lobpreis des Schöpfers. Die Kirche als feste Burg Gottes, als Ort des Geborgenseins auch für den Gesetzesbrecher, als Stätte des ewigen Kirchenfriedens, der geistlichen Einkehr, der Begegnung und Zwiesprache mit dem Vater des Himmels und der Erden. Die Kirche als Denkmal der Verbundenheit von Gott und Mensch. Die Stadtkirche, der Dom bilden den Stadtkern, der Kirchturm überragt die Stadt, unter der Turmspitze haust der Wächter und meldet Kriegs- und Feuersgefahr. Die Dorfkirche, die wie eine Gluckhenne ihre Küchlein Häuser um sich schart. Aber auch Kirchlein und Kapellen, die sich in die Einsamkeit zurückziehen, die sich in die Landschaft einschmiegen. Gemütswerte des

Castle and church, throne and altar, represent the temporal and the spiritual dominion, which allied most people in the age of feudalism. Whereas the Creator made the rainbow as covenant with man following the flood, so man built places of worship, churches, and chapels to demonstrate his covenant with God, God's dominion on earth. The church as forefinger showed the way to glory for those living in the vale of tears making their mortal drudgery tolerable. In complete contrast to the miserable abodes of some believers were the churches as the palaces of God. They often had more room for the congregation than the town had for its inhabitants. The ringing of bells as summons to church-going and as praise to the Creator. The church was the solid rock of God, a place of safety even for criminals, a place of eternal church peace, spiritual contemplation, meeting and dialogue with the Father of Heaven and Earth. The parish church and the cathedral formed the town centre, the church tower overtopped the town. The warder housed under the spire and gave notice of danger of war and of fire. The village church assembled its houses together like a broody hen its chicks. But even small churches and chapels, withdrawn in solitude, harmonized with the landscape. The spirit of the building was in harmony with the spirit of the landscape: Up there stands the chapel. Stillness, valley, meadow, spring, herdsman, chant. Churches in snow. Churches in ruins. Cemetery

Le château et l'église, le trône et l'autel, représentent le pouvoir séculier et le pouvoir ecclésiastique, qui, à l'époque féodale, étaient le plus souvent liés. Alors que le Créateur avait placé l'arc en ciel comme signe de son alliance avec la créature, l'homme éleva les maisons du Seigneur : des églises et des chapelles, pour montrer son union avec Dieu et le règne de Dieu sur terre. Le clocher symbolise le doigt, qui, dans la vallée de larmes, indique le chemin de la lumière éternelle et rend plus supportable la misère humaine. L'église, le palais du Seigneur, jurait sur les taudis où habitaient bien des croyants, et pouvait accueillir plus de paroissiens que la ville n'en comptait. Le carillon des cloches invite au service religieux et à la louange du Créateur. L'église, citadelle de Dieu, protège même le criminel ; elle assure la paix éternelle, elle permet le recueillement religieux, la rencontre et le dialogue avec le Père éternel. L'église prouve l'union de Dieu et de l'homme. L'église, la cathédrale forment le cœur d'une ville, le clocher dépasse les toits de la ville, son gardien annonce la guerre et l'incendie. L'église du village est comme une glousse qui a rassemblé ses poussins autour d'elle. On voit aussi de petites églises de campagne et des chapelles solitaires, blotties dans le paysage. L'architecture et le paysage expriment le même état d'âme : Là-haut, sur la montagne, il est un vieux clocher… Un vallon calme, des prairies, une source, un berger, des cantiques. Des églises dans la neige. Des églises

Bauwerks in Harmonie mit den Gemütswerten der Landschaft: Droben stehet die Kapelle. Stille, Tal, Wiese, Quelle, Hirte, Gesang. Kirchen im Schnee. Kirchenruinen. Die Friedhofskapelle.

Der Eremit, der sich in die Einsamkeit zurückzieht. Die Zelle auf einer Waldwiese nahe eines Quells. Oft entwickelt sich aus einer solchen Zelle eine Wallfahrtskapelle oder ein Kloster. Klöster, die sich dort ansiedeln, wo die Landschaft Auge und Ohr erfreut, wo Ruhe Meditation ermöglicht. Die bescheidenen, aber formschönen Bauten der Zisterzienser. Stille Kreuzgänge als harmonische Verbindung von Natur und Architektur. Aber auch Klöster an Bächen und Weihern, deren Fische die Fastentage genußreich machen. Andere, die den Weinbau mitbringen oder die dem Weinbau folgen. Wein als Symbol des Blutes Christi, als Abendmahlsgetränk; aber auch als Trost für harte Askese. Viele Lagenamen des Weinbaus beweisen die enge Verwandtschaft mit der Kirche (denn „Weinberge roden heißt Kapellen bauen"): Domdechaney, Jesuitengarten, Kirchenstück, Liebfrauenmilch, Abtsberg, Kreuz, Kapellenberg, Pfaffensteig, Nonnenberg, Gottesfüß, Himmelreich, Domprobst, Mönchsberg, Altärchen, Abtsfrohnhof, Nonnengarten, Bischofsberg.

Die Klöster bewähren sich aber auch als Hort der Wissenschaft und Werkstätten der Kunst, in denen Buchmalerei und Elfenbeinschnitzkunst in Heimarbeit betrieben werden. Ba-

chapels. The hermit who withdraws into solitude. The cell on a glade near a spring. Often a pilgrims' chapel or a monastery developed out of such a cell. Monasteries which settled where the landscape gladdened eye and ear, where tranquility enabled meditation. The unpretentious, but beautifully formed buildings of the Cistercians. Quiet cloisters as harmonious bonds between nature and architecture. Monasteries, too, alongside brooks and ponds. Others which bring the art of wine-growing or follow the vineyards. Wine as symbol of Christ's blood, as communion drink; but also as consolation for hard asceticism. Many viticultural sites prove the close bond with the church ("making arable vineyards, means building chapels"): Domdechaney, Jesuitengarten, Kirchenstück, Liebfrauenmilch, Abtsberg, Kreuz, Kapellenberg, Pfaffensteig, Nonnenberg, Gottesfüß, Himmelreich, Domprobst, Mönchsberg, Altärchen, Abtsfrohnhof, Nonnengarten, Bischofsberg.

Monasteries have proven themselves, too, as retreats for science and art workshops, in which book illumination and ivory carving were pursued as homework. Baroque monasteries and collegiate buildings dominate the landscape. Their representative rooms are more like dance halls than prayer rooms. In monastery libraries cabinet-makers, fresco painters, stucco craftsmen and sculptors create a delicate roomscape, where in the writings of pious Early Fathers appear infested with haughtiness.

en ruine. La chapelle du cimetière. L'ermite qui a choisi la solitude. Dans une clairière, près d'une source, l'ermitage qui devient un lieu de pélerinage ou un couvent. Des monastères s'établissent là, où le paysage rejouit les sens et permet la méditation dans le calme. Les constructions des cisterciens ont des formes simples mais belles. Des cloîtres paisibles réunissent harmonieusement la nature et l'architecture. Des couvents, au bord des rivières et des étangs fournissent des poissons pour agrémenter les jours de jeûne. D'autres encore amènent la vigne ou la suivent. Le vin symbolise le sang du Christ, le breuvage du festin pascal et il console d'un ascétisme rigoureux. Les noms de beaucoup de vins allemands prouvent leurs liens étroits avec l'église: Domdechaney, Jesuitengarten, Kirchenstück, Liebfrauenmilch, Abtsberg, Kreuz, Kapellenberg, Pfaffensteig, Nonnenberg, Gottesfüß, Himmelreich, Domprobst, Mönchsberg, Altärchen, Nonnengarten, Bischofsberg.

Les monastères accueillent aussi la science et les arts; on y pratique artisanalement l'art de la miniature et la sculpture de l'ivoire. Des cloîtres baroques et des églises collégiales dominent le paysage. Leurs salles rappellent plutôt les bals que les prières. Les ébénistes, les peintres à fresque, les stucateurs et les sculpteurs donnent aux bibliothèques collégiales une atmosphère gracieuse, où les écrits des saints Pères de l'église semblent être pris de joyeuse folie.

rocke Kloster- und Stiftsbauten dominieren über die Landschaft. Ihre Repräsentationsräume gleichen eher Tanzsälen als Betsälen. In Klosterbibliotheken schaffen Kunsttischler, Freskenmaler, Stukkateure und Bildhauer eine ballettöse Raumlandschaft, worin die Schriften der frommen Kirchenväter wie vom Übermut heimgesucht erscheinen.

Der Bauer als Landschaftspfleger

The farmer as cultivator of the landscape · Le paysan, l'administrateur du paysage

Blenden wir noch einmal zurück auf die Schöpfungsgeschichte und lassen wir uns sagen, wie der Mensch zu seinem Amt als Landschaftsbildner gekommen ist. Am siebenten Tag, dem ersten Sonntag der Weltgeschichte, ruhte der Schöpfer aus und machte danach am achten Tag zunächst einen Nebel, „der das Land feuchtete", anschließend schuf er den Menschen aus einem Erdenkloß. Die Produktionsbedingungen waren also nicht besonders günstig. Schlechtes Wetter, neblig und feucht, ein meteorologisches Tief, das die Schaffenskraft lähmt, dazu noch ein Montag, der Wochentag also, dem nicht selten das abwertende Adjektiv „blau" angehängt wird, an dem die meiste Ausschußware anfällt. Geringe Qualität des Rohmaterials: ein Erdenkloß. Kein Wunder, daß das Experiment im Garten Eden schiefging. Gott ließ darin allerlei Bäume wachsen „lustig anzusehen und gut zu essen". Eine Landschaft also, die das Auge und den Geschmack erfreut. War es nicht geradezu eine Falle, daß der Schöpfer mitten hinein einen Baum pflanzte, dessen Früchte dem Konsumenten zur Erkenntnis verhalfen, was gut und was böse ist?
Der bildungshungrige Adam übertrat das Pflückverbot, verführt von der Schlange und seinem Weib, und wurde dafür mit dem Tode bestraft. Er hatte also die Wahl zwischen Unwissenheit und Unsterblichkeit einerseits und Wissen und Sterblichkeit andererseits. Da ihm Gott aber Wissensdurst und Neugier mit sei-

Let us go back again to the story of creation and let us hear how it was that man came to be a landscaper. On the seventh day, the first Sunday in the history of the world, the Creator rested and on the eighth day he made a mist, "which watered the whole face of the ground". Following that he created man out of dust. Production conditions as such were not particularly favourable. Bad weather, misty and damp, a meteorological low that paralysed creative power, a monday as well, a weekday often given the derogatory adjective "blue", a day on which most scrap goods occur. Low quality of the raw material: dusty earth. No wonder that the Garden of Eden experiment failed. God let all sorts of trees grow which were "pleasant to the sight, and good for food". A landscape, therefore, that gladdened the eye and the taste. Was it not obviously a trap that the Creator planted a tree in the very middle, whose fruits helped the consumer to the knowledge of what good and evil is? Thirsting for knowledge Adam violated the "No picking" sign, led astray by the serpent and his own wife, and was condemned to death for it. He had had the choice between ignorance and immortality on the one hand, and knowledge and mortality on the other. Since, however, God had given him this thirst for knowledge and curiosity with his breath Adam risked his life for understanding, for progress. Without knowledge it would not have been possible for him to implement God's command

Revenons à l'histoire de la Création, et voyons comment l'homme est devenu paysagiste. Le septième jour, le premier dimanche de l'histoire du monde, Dieu se reposa de toute son œuvre et, le huitième jour, une vapeur s'éleva de la terre, et arrosa toute la surface du sol. Enfin, Dieu prit de la poussière de la terre et créa l'homme. Ainsi, les conditions n'étaient pas particulièrement favorables à la production. Un temps maussade, brumeux et humide, des basses pressions météorologiques qui paralysent les forces créatives et, c'était, en plus, un lundi, un jour de «gueule de bois», où l'on fabrique le plus de pièces manquées. La matière première est de qualité médiocre: de la poussière de la terre. Il n'est point étonnant que l'expérience du jardin d'Eden ait échoué. Dieu y fit pousser des arbres «de toute espèce, agréables à voir et bons à manger»; un paysage qui charme la vue et le goût. Ne tendait-il pas un piège, le Créateur, quand il y planta, au beau milieu, un arbre dont les fruits permirent au consommateur de distinguer entre le bien et le mal?
Adam, affamé de connaissance et séduit par sa femme et le serpent, passa outre, ce qui le fit condamner à mort. Il avait donc le choix entre, d'un côté, l'ignorance et l'immortalité et, de l'autre, le savoir et une vie mortelle. Mais comme Dieu lui avait insufflé la soif de connaître et la curiosité, Adam risqua sa vie pour la connaissance et le progrès. Sans la science infuse il ne lui aurait pas été possible de suivre

nem Odem eingegeben hatte, riskierte Adam sein Leben für die Erkenntnis, für den Fortschritt. Ohne Wissen wäre es ihm ja gar nicht möglich gewesen, Gottes Geheiß zu erfüllen, sich das Erdreich untertan zu machen. Zudem heißt es von der Schlange, sie sei von Natur listiger als alle Tiere auf dem Felde. Weil aber der thumbe Adam und die arglose Eva noch zu keiner Erkenntnis fähig waren, fiel es der Schlange leicht, das Paar zu überreden. Was daraus wurde, ist allgemein bekannt. Zunächst Schamgefühl, „sie flochten Feigenblätter zusammen und machten sich Schurze", Voraussetzungen für eine künftige Schneiderinnung. Zweifellos war Evas Schurz pfiffiger, schicker, raffinierter geschnitten als der Adams, damals mag also auch die Mode entstanden sein. Der Baum der Erkenntnis machte klug, ersetzte also ein ganzes Universitätsstudium, das das erste Paar allerdings mit übertrieben hohen Studiengebühren bezahlen mußte. Es wurde aus dem Paradies ausgestoßen, und zum ersten Mal taucht das Wort Feindschaft auf, zum ersten Mal droht Gewalt. Gott setzt Feindschaft zwischen dem Menschen und der Schlange: „Derselbe soll dir den Kopf zertreten, und du wirst ihn in die Ferse stechen." Das Weib wird mit Schmerzen Kinder gebären, es verliert Gleichberechtigung und Mitspracherecht, denn „er soll dein Herr sein". Adam muß sich mit Kummer nähren, sein Acker soll Dornen und Disteln tragen, er soll im Schweiße seines Angesichts sein Brot essen. Mit den Feigenblät-

to have dominion over the earth. In addition it is said of the serpent that it "is more subtil than any beast of the field". Because, however, the artless Adam and the unsuspecting Eve were not capable of understanding, it was simple for the serpent to convince the pair. The result is well known. First of all a sense of shame, "they sewed fig leaves together, and made themselves aprons". Pre-conditions for a future tailors' guild. No doubt Eve's apron was more cunning, chic and cleverly cut than Adam's. It was probably then that fashion came into being.
The tree of knowledge made man wise, replaced a complete degree course. A course that the first pair had to pay with exaggeratedly high study fees. They were driven out of Paradise and for the first time the word enmity appears. For the first time violence threatens. God puts enmity between man and the serpent: "It shall bruise thy head, and thou shalt bruise his heel." Woman shall bring forth children in sorrow, and lose equal rights, for "he shall rule over thee". Adam had to eat of his sorrow, his ground bore forth thorns and thistles, he had to eat his bread in the sweat of his face. God was not satisfied with fig leaves, he thoughtfully enriched the sinners' wardrobe with coats of skins. Eve gave birth to two sons: Abel, a keeper of sheep, and Cain, a tiller of the ground. Cain, however, slew Abel (and so it was that enmity between man began) out of jealousy because God respected Abel's meat

le commandement de Dieu et de se soumettre le royaume de la terre. En outre, le serpent est par nature le plus rusé de tous les animaux. Comme Adam était plutôt lourdaud et Eve assez naïve, et qu'ils n'étaient pas encore capables de porter un jugement, le serpent eut beau jeu à les persuader. On connaît la fin de l'histoire. Envahis par la pudeur «ayant cousu des feuilles de figuiers, ils s'en firent des ceintures» : premier prétexte d'un futur corps de tailleurs. Certes, le pagne d'Eve était plus ingénieux, plus chic et bien mieux coupé que celui d'Adam, et c'est, sans doute, alors que la mode est née. L'arbre de la connaissance rendait intelligent et remplaçait des études universitaires qui coûtèrent, quand même, très cher au premier couple de la Création. Il fut chassé du paradis et l'on entend, pour la première fois, le mot haine ; pour la première fois, la violence menace. Dieu met l'inimitié entre l'homme et le serpent: «Celui-ci t'écrasera la tête, et tu lui blesseras le talon». La femme enfantera dans la douleur et elle perd l'égalité des droits, car il est dit : «Il dominera sur toi.» Adam doit se nourrir de l'herbe des champs, le sol produira des épines et des ronces, il mangera son pain à la sueur de son visage. Dieu n'apréciait pas les feuilles de figuier et il équipa d'habits de peau la garde-robe des pécheurs. Eve enfanta deux fils: Abel, le berger, et Caïn, le laboureur. La haine se répandit parmi les hommes, lorsque Caïn tua son frère, par jalousie ; Dieu avait jeté un

tern war Gott nicht zufrieden, er bereicherte fürsorglich die Garderobe der Sünder mit Röcken aus Fellen. Eva gebar zwei Söhne: Abel, der ein Schäfer, und Kain, der ein Acker-mann ward. Kain aber, und damit begann die Feindschaft unter den Menschen, erschlug Abel aus Eifersucht, weil dessen Fleischopfer von Gott gnädig, Kains vegetarisches Opfer aber ungnädig angesehen wurde. Deshalb wur-de Kains Acker unfruchtbar, und Gott ver-urteilte den ersten Bauern der Menschheit zu Unstäte und Flüchtigkeit, das heißt, er wurde Nomade. Was seine Kinder trieben, ist nicht überliefert, erst von seinen späten Nach-kommen sind wieder Berufsangaben vorhan-den: Jabal, dessen Kinder in Hütten wohnten und Vieh zogen. Und Jubal, von dem die Gei-ger und Pfeifer hergekommen sind.

Lassen wir die Geiger und Pfeifer, das fahren-de Musikantenvolk aus dem Spiel. Sie verschö-nerten zwar das Los des Menschen, taten aber nichts für die Landschaft. Nur Kain und Jabal als erste namentlich genannte Bauern sind für uns wichtig.

Bauer: der den Boden bebaut, der Nahrungs-mittel anbaut und damit die Kulturlandschaft schafft, bewahrt, funktionsfähig macht. Der Wald, Wiese, Weide, Kartoffelacker, Korn-feld und Garten im harmonischen Gleichge-wicht erhält. Der die Urnahrungsmittel produ-ziert: Milch, Korn, Fleisch, Butter, Käse und Gemüse.

Bevor Technik und Chemie der Landwirt-

offering, not, however, Cain's vegetarian of-fering. As a result Cain's fields were barren and God condemned the first farmer in the history of man as a fugitive, he became a vaga-bond. What his children did is not reported, professional details are only available for the later descendants: Jabal, whose children lived in tents and kept cattle. And Jubal, from whom the harp and organ hail.

Let us leave harp and organ, the wandering musicians. They certainly improved mankind's lot, did nothing for the landscape however. Only Cain and Jabal as the first reported farmers are important for us.

Farmer: who farms the ground, grows food-stuffs and thus creates cultivated land, pre-serves it, makes it workable. Keeps the woods and forests, meadows, potato fields, cornfields and gardens in harmonious equilibrium. Pro-duces basic foodstuffs: milk, wheat, meat, butter, cheese and vegetables.

Before technology and chemistry were put into service for agriculture, "practical" was the same as "attractive". This holds, too, for the farmstead, an integrated and practical ensem-ble consisting of house, stable, cowshed, pigsty, and barn. The materials it was built with were taken from the surrounding landscape: woods, reed, brick, limestone. The farmstead, whether it was on a marsh-islet or in the Black Forest, in Upper Bavaria or in Holstein, was assimilat-ed by the landscape, shone on the landscape, lived harmoniously with it. But practical is not

regard favorable sur l'offrande des premiers-nés du troupeau d'Abel, et il avait méprisé l'offrande des fruits de la terre de Caïn. Le champ de Caïn fut maudit et Dieu condamna le premier paysan de l'humanité à être errant et vagabond sur la terre : à une vie de nomade. On ne sait rien des enfants de Caïn, mais on entend parler de ses descendants. Jabal fut le père de ceux qui habitent sous des tentes et près des troupeaux. Et Jubal fut le père de tous ceux qui jouent de la harpe et du chalumeau. Laissons les joueurs de harpe et de chalumeau, ce peuple de musiciens nomades. Ils embellis-saient le destin de l'homme, mais ne firent rien pour le paysage. Seuls nous importent Caïn et Jabal, les premiers paysans qui soient cités comme tels.

Le paysan cultive la terre, fait pousser les aliments et crée le paysage civilisé, le protège et le rend productif. Il veille à l'équilibre harmonieux de la nature : des forêts, des prairies, des pâturages, des champs de blé et de pommes de terre, des jardins. Il produit les aliments de base : le lait, le blé, la viande, le beurre, le fromage et les légumes.

Avant l'apparition de la technique et de la chimie dans l'agriculture, on joignait encore l'utilitaire à la beauté. Cela vaut aussi pour la ferme, un ensemble pratique qui réunit l'habi-tation, les étables et les granges et qui s'intègre bien au paysage. Les matériaux de construc-tion étaient pris sur place : du bois, des roseaux, des tuiles, de la chaux. Qu'elle se trouvât sur

schaft dienstbar gemacht wurden, war zweckmäßig gleich formschön. Das gilt auch für den
Bauernhof, ein in die Landschaft einbezogenes
praktisches Ensemble aus Wohnhaus, Stall und
Scheune. Die Materialien, mit denen es gebaut
wurde, waren der jeweiligen Landschaft ent-
nommen: Holz, Schilf, Ziegel, Kalk. Der
Bauernhof, ob auf einer Hallig oder im
Schwarzwald, ob in Oberbayern oder in Holstein, glich sich der Landschaft an, strahlte auf
die Landschaft aus, lebte mit ihr in Harmonie.
Zweckmäßig bedeutete nicht immer so viel
wie nüchtern. Im Norden war das Bauernhaus gelegentlich mit Holzschnitzereien ver-
ziert, im Süden wurde es oft bemalt, Blumen
schmückten Vorgarten, Fenster und Balkone.
Aber solche Bauernhäuser sind mehr oder weniger Museumsstücke wie Mühlen und Wind-
mühlen. Das moderne Bauernhaus hat andere
Funktionen. Statt Stall und Scheune braucht es
Garage und Maschinenpark. Der Zwang zur
Rentabilität unterbindet das anmutige Neben-
einander verschiedener Anbauflächen. Aus
Landschaft wird landwirtschaftliche Nutzungs-
fläche. Es ist berechtigt, das zu beklagen. Es
wäre aber fatal, der Landwirtschaft quasi
ehrenamtlich Landschaftspflege zuzumuten,
sie zum Frondienst für den grünhungrigen
Städter zu zwingen.
Der Einzelhof garantierte dem unabhängigen,
auf sich selbst gestellten Bauern die Existenz-
möglichkeit. Ein Hof mit Haus, Scheune, Stall,
mit zusammenhängenden Feldgütern, mit Ros-

the same as sober. In the north the farmhouse
was occasionally adorned with wood carvings,
in the south it was often painted, flowers de-
corated the front gardens, windows and balconies. But such farmhouses are more or less
museum pieces as are mills and windmills. The
modern farmhouse has other functions. Instead
of stable, cowshed, pigsty, and barn it requires
garage and machine park. The obligation of
profitability prevents the charming juxtaposi-
tion of different field crops. Instead of landscape there are agricultural production areas.
It is justifiable to deplore this. It would be fatal
though to expect landscape cultivation of agriculture, to force it into compulsory labour for
the green-hungry towns.
The individual farms guarantee the independ-
ence of the farmer, dependent on himself that
is for subsistence. A farm with house, barn,
stable, cowshed, and pigsty, with adjacent
fields and grounds, with horses, pigs, horned
cattle, and poultry in sufficient numbers with
farm-hands and maid servants, fed the owner
of the farm as well as his servants and kin,
made him self-supporting. The small farmer
was socially at a greater disadvantage, so was
even the occasional labourer who was usually
bonded, paid tribute, and was liable to forced
labour, whose domicile could neither be chosen
nor changed.
The settlement form of the individual farm
interwoven into nature stamps the landscape
but constitutes an exception. The more man

un îlot de la mer du Nord ou en forêt Noire, en
Bavière ou dans le Holstein, la ferme s'assi-
milait au paysage, en était le phare, vivait en
harmonie avec lui. Mais l'utilitaire n'était pas
toujours synonyme de sobriété. La ferme
s'ornait, à l'occasion, dans le Nord, de bois
sculptés et dans le Sud de motifs peints. Des
fleurs décoraient les jardinets, les fenêtres et
les balcons. Mais ces fermes sont plus ou moins
des pièces de musée, tout comme les moulins
et les moulins à vent. La ferme moderne a
d'autres fonctions. Elle n'a plus besoin
d'étables et de granges, mais de garages et de
hangars à machines. La contrainte exercée par
la rentabilité a fait disparaître l'image char-
mante des cultures groupées en parcelles. On
a le droit de le regretter. Mais il serait néfaste
de vouloir que l'agriculture assure la protection du paysage, et de la forcer à se mettre au
service des citadins affamés de verdure.
La ferme d'un seul tenant garantissait au
paysan indépendant et autonome les moyens
de son existence. Avec ses locaux d'habitation,
ses étables, ses granges, ses terres agglomérées,
son bétail de tous poils et sa nombreuse
volaille, avec ses valets et ses servantes, la
ferme entretenait le maître, sa famille et ses
domestiques, le rendait autarcique. La situation sociale du petit paysan ou du journalier
était bien moins favorable : ils étaient, autre-
fois, asservis, soumis à la dîme et à la corvée
et ils ne pouvaient ni choisir ni changer leur
lieu de domicile. Les formes d'agencement de

sen, Borsten-, Horn- und Federvieh in genügender Anzahl, mit Knechten und Mägden ernährte den Besitzer des Hofes mit Gesinde und Sippe, machte ihn autark. Sozial weit ungünstiger gestellt waren der kleine Bauer oder gar der Taglöhner, die früher meist hörig, zins- und fronpflichtig waren und ihren Wohnsitz weder bestimmen noch verändern durften.

Die Siedlungsform des in die Natur gebauten, mit der Natur verwobenen Einzelhofes prägte zwar die Landschaft, bildete aber eine Ausnahme. Je mehr sich der Mensch beruflich spezialisierte, um so mehr wurde er vom Mitmenschen abhängig, um so notwendiger wurden gesellschaftliche Beziehungen, was sich auf die Wohnformen, auf die Art der Besiedlung und damit wieder auf die Landschaft auswirkte. Hauste der Mensch ursprünglich in Höhlen und Zelten, vereinnahmte er dabei nur flüchtig, was die Erde in freiwilligem Wildwuchs trug, so veränderte sich des Menschen Verhältnis zum Boden mit der Besiedlung. Mit dem Pflug verbunden ist der Wunsch nach der eigenen Scholle, um einen viel mißbrauchten Begriff zu benutzen. Siedeln, auf etwas sitzen, besitzen. Verwurzelt sein, dazugehören, gehören. Wohnen, bewohnen, verwohnen, verwöhnen.

Was fällt uns bei dem Wort Dorf ein? Bauer, Kirche, Glocken, Linde, Vieh, Hühner, Brunnen, Misthaufen, Wirtshaus, Dorfpfarrer, Dorflehrer, Dorfschultheiß, Stammtisch, Tabakspfeife, Sämann, Pflug. Das alles sind über-

specialises the more he becomes dependent on his fellow-creatures, and the more necessary become social controls. All this has effected the housing forms, and the type of settlement and thus the landscape. Whereas man formerly lived in caves and tents and was able to partake only momentarily of the fruits of the earth growing in wild profusion, his relation to the earth changed with settlements. Connected with the plough is the desire for home. Settle down, sit on something, occupy. Become deeply rooted, belong and belong to. Live, live in. What thoughts does the word village conjure up? Farmer, church, bells, the village tree, cattle, chickens, wells, manure heaps, pubs, village parsons, village teachers, village mayors, tables reserved for regular customers, pipe smoking, sowers, plough. Those are all obsolete idyllic conceptions from the jejeune era that have to some extent been preserved in the school primers of today. The village as small, unscathed world of its own, the land—in contrast to the town—as a wide open expanse; hopeful anticipation of unspoiled nature, although cultivated by man it should retain its character. Nothing concerning the village poverty of educational possibilities, quality of life, information, communication with other levels of society. Even in the good old days land life did not offer a shepherd idyll such as townsfolk longed for. The village and its local region were unprotected, set free for the gentry as a hunting revier, and as a human pool for

la ferme isolée, étroitement liée à la nature, marquait le paysage, mais c'était une exception. Plus l'homme se spécialisait dans son métier, plus il dépendait de ses semblables, et plus il avait besoin de relations sociales, ce qui influençait l'agencement de l'habitat et par conséquent le paysage. Tant que l'homme primitif vécut dans les cavernes et sous les tentes, il récolta les fruits sauvages qui poussaient librement dans la nature. Avec l'habitat, les relations de l'homme et du sol changèrent. Celui qui pousse la charrue voudrait que la glèbe lui appartienne. Il voudrait posséder, être sédentaire, assis et enraciné, être communautaire et propriétaire. Il voudrait habiter, cohabiter.

Qu'évoque pour nous le mot village? Des paysans, une église, des cloches, un tilleul, du bétail, de la volaille, une fontaine, du fumier, une auberge, un curé, un maître d'école, un maire, la table des habitués, une pipe, un semeur, une charrue. Ce sont les images d'une idylle désuète très dix-neuvième siècle, que l'on retrouve encore dans certains livres de lecture. Le village: ce petit univers intact. La vaste campagne sert de contraste à la ville. On veut une nature vierge qui doit garder son caractère original, tout en étant cultivée par l'homme. On ne parle pas des difficultés qu'il y a à s'instruire, à s'informer, à communiquer avec d'autres couches sociales, bref de la piètre qualité de la vie rurale. Même au bon vieux temps, la vie rurale n'était pas l'idylle

holte idyllische Vorstellungen aus dem Biedermeier, die sich teilweise bis heute in Lesebüchern konserviert haben. Das Dorf als kleine, heile Welt, das Land – im Gegensatz zur Stadt – als eine begangene weite Fläche; Erwartung möglichst unberührter Natur, die vom Menschen bestellt ihren Charakter bewahren soll. Nichts von der dörflichen Armut an Bildungsmöglichkeiten, an Lebensqualität, an Information, an Kommunikation mit anderen Gesellschaftsschichten. Auch in der guten alten Zeit bot das Landleben keine Hirten- und Schäferidyllen, wie sie der Städter ersehnte. Das Dorf und sein Bereich waren ungeschützt, der Herrschaft als Jagdrevier und als Menschenreservoir für Kriegs- und Frondienst, dem Feind als Schlachtfeld ausgeliefert und zur Plünderung freigegeben. „Ein Schweinekoben in der Stadt ist sicherer als ein wohlgebautes Haus auf dem Lande."
Die Stadt bot ihrem Bürger Schutz und größere ökonomische Möglichkeiten. Berufe, die aufeinander angewiesen sind, die aneinander verdienen, lebten in der Stadt auf engstem Raum zusammen. Die Handwerker boten ihre Dienste an, die Händler ihre Waren, die Bauern auf dem Markt ihre Landprodukte. In der Stadt gibt es größere Chancen für sozialen Aufstieg, mehr Zerstreuung, größere erotische Auswahl, mehr Kommunikation, mehr Freiheit, mehr Bürgerrechte und eine gewisse Selbstverwaltung.

war time and forced labour, sometimes surrendered to the enemy as a battlefield and for plunder. "A pigsty in the town is safer than a well-built house in the country."
The town offered its citizens protection and greater economic possibilities. Professions rely on one another, earn together, live in the town in cramped space. Craftsmen offered their services, merchants their goods, farmers at the market their land products. In the town there are better chances for advancement, more diversion, greater erotic choice, more communication, more freedom, more civic rights, and a certain autonomy.

champêtre dont rêvaient les citadins. Le village et son territoire étaient sans protection, terrains de chasse livrés au seigneur qui y puisait ses réserves d'hommes pour les corvées et les guerres ; les ennemis s'y livraient bataille avant de s'adonner au pillage. «On est plus sûr dans une porcherie, en ville, que dans une maison solide à la campagne».
A ses habitants la ville offrait la sécurité et des possibilités économiques plus larges. Des métiers qui dépendaient les uns des autres par le travail et par l'économie. Ils se groupaient étroitement au même endroit. Les artisans offraient leurs services, les marchands leurs marchandises, et les paysans proposaient leurs produits sur le marché. En ville, les chances d'ascension sociale sont plus nombreuses, il y a plus de distractions, un choix érotique plus varié, plus de communication, plus de libertés, plus de droits et une certaine gestion autonome.

Stadtlandschaften

Townscapes · Les paysages urbains

Kennzeichen der Stadt ist die Mauer. Sie bezieht ein. Sie umschließt die Bürger und schließt sie zusammen. Sie engt aber auch ein, sie unterwirft den, den sie schützt, der von den Behörden gesetzten Ordnung. Sie umschließt eine Arbeits-, Lebens-, Schicksalsgemeinschaft. Auf der einen Seite ermöglicht sie die Kontrolle derer, die das Stadttor passieren, ob es nun eingesessene Bürger oder fremde Besucher sind. Auf der anderen Seite erlaubt sie eine gewisse Freiheit in der Ordnung. Die Mauer ist die Voraussetzung für unser ästhetisches Wohlgefallen an alten Stadtbildern. Die Plätze sind planvoll und zweckmäßig angelegt, die Häuser sind zwar an Straßenzeilen gebunden, lassen jedoch dem individuellen Geschmack der Erbauer und Besitzer jenen Spielraum, den die Fantasie braucht, um die Ordnung reizvoll zu machen. Aber die Stadt bezieht auch noch ein Stück Natur mit ein. So entsteht das, was alte Städte so behaglich, so heimelig erscheinen läßt: das wohlige Ensemble von Kirche, Türmen, Häusern, Straßen, Gassen, Plätzen, Mauern, Fluß, Bach, Ufer, Brücken, Wehr, Gärten und Bäumen; eine vom Menschen bestimmte Stadtlandschaft, die in ihrem ästhetischen Reiz der Kulturlandschaft des Landes nicht nachzustehen braucht. Freilich, wo die malerische Fassade noch heute erhalten, wo sie noch nicht von den Tempeln des Kapitals brutal geschändet ist, da erscheint sie zuweilen heimeliger, als sie es ist. Sie verdeckt oft den Mangel an Hygiene; die geringe

The mark of the town is its wall. It encloses. Embraces its citizens and locks them together. It also hems in, subjugates those it protects with the order as set by authority. It embraces a working and a living community, a community sharing a common fate. On the one hand it enables control of those who come through the town gate, whether they are residents or visitors. On the other hand it permits a certain freedom within order. The wall is the pre-condition for our aesthetic delight with old town panoramas. The sites are systematic and set out practically, the houses are indeed bound to street rows, but allow, however, the individual tastes of builder and owner just that amount of latitude phantasy needs to make the order attractive. But the town comprises a piece of nature as well. And so originates that which makes old towns so snug and makes them appear so homely: the happy ensemble of churches, towers, houses, streets, lanes, squares, walls, river, brook, banks, bridges, weirs, gardens, and trees; a townscape determined by man which does not have to be inferior in its aesthetic attraction to that of the cultivated landscape. Indeed where the picturesque facade is preserved today, if it has not been brutally profaned by the temples of capital, it often appears more homely than it really is. It often conceals the lack of hygiene; the low living quality of such picturesque old houses where now and then it is expected only of foreign workers that they live there and who

Le symbole de la ville, c'est le rempart. Il ceinture la cité. Il enserre les citadins et les réunit. Mais il les resserre aussi, il soumet ceux qu'il protège à l'ordre de l'autorité publique. Il entoure une communauté liée par le travail, par le mode de vie et par le même sort. D'une part, il permet de contrôler ceux qui franchissent les portes de la ville, les gens de la cité comme les visiteurs. D'autre part, il garantit une certaine liberté dans le cadre de la loi. Pour que le plan d'ensemble d'une vieille ville nous paraisse esthétique, il y faut des remparts. Les places sont disposées selon un plan fonctionnel, les maisons s'alignent bien le long des rues, mais elles montrent quand même la marge laissée à la fantaisie de l'architecte et du propriétaire, pour rompre la monotonie de leur alignement ordonné. La ville fait aussi entrer un bout de nature dans ses murs. C'est ce qui rend les vieilles villes si agréables à vivre, si familières; c'est un ensemble harmonieux, où l'on voit l'église, les tours, les maisons, les rues, les ruelles, les places, les murailles, le fleuve, la rivière, les berges, les ponts, les écluses, les jardins et les arbres; un paysage humain imaginé par l'homme et qui n'a rien à envier au paysage civilisé de la campagne. Bien sûr, là, où elle est encore conservée, quand elle n'a pas été violée par les temples du capital, la façade pittoresque paraît parfois plus attrayante qu'elle ne l'est en réalité. Elle cache souvent le manque d'hygiène; souvent, le confort restreint des vieilles

Wohnqualität malerischer alter Häuser wird mitunter nur noch Gastarbeitern zugemutet, die, wenn nicht als Denkmalspfleger, so doch als Denkmalserhalter herhalten müssen.
Die Mauer war der Panzer, die Rüstung der mittelalterlichen Stadt. Sie schützte nicht nur den Einwohner; wie ein Korsett sorgte sie dafür, daß die Stadt nicht in die Breite floß und das Land überschwemmte, daß das Stadtbild erhalten blieb. Aber die Mauer raubt dem Bürger auch den Ausblick und läßt ihn mitunter vergessen, daß es ein Leben außerhalb gibt, freilich ein ungeschütztes Leben voller Abenteuer. Die Mauer ist fremdenfeindlich. Wie sie den Eingeborenen einsperrt, so sperrt sie den Fremden aus, vor allem den Unbehausten, Jubals Söhne, die fahrenden Musikanten, die Nomaden, die Zigeuner, die Andersartigen.

act as preservers of monuments if not actually taking care of them.
The wall was the armour, the coat of mail of the medieval town. It protected not only the inhabitants; like a corset it saw to it that the town did not flow out and swamp the land in all directions, that the town panorama was preserved. But the wall robs the citizen also of the view and lets him forget now and then that there is life outside, although it is of course an unprotected life full of adventure. The wall is xenophobe. Just as it confines the natives, so it keeps strangers out. Above all the homeless, Jubal's sons, the wandering musicians, the nomads, the gypsies, the others.

maisons pittoresques ne convient plus qu'à la main d'œuvre étrangère, qui joue ainsi sinon les conservateurs, tout au moins les protecteurs. Le rempart était la cuirasse, la défense de la ville moyenâgeuse. Il ne faisait pas que protéger les habitants : il veillait, tel un corset, à ce que la ville ne s'étale pas, n'inonde pas la campagne, pour que le plan d'ensemble de la cité soit maintenu. Mais les murailles cachent le monde extérieur aux citadins, il leur fait oublier que la vie continue hors des murs, même si c'est une vie peu sûre et aventureuse. Le rempart est xénophobe. Il enferme l'indigène et se ferme devant l'étranger, surtout devant le vagabond, les fils de Jubal, les musiciens ambulants, les nomades, les gitans, tous ceux d'une autre espèce.

Das Herrenhaus der Bürgerschaft

The manor-house of the community · Le «palais» des citoyens

Stellt sich in den Kirchen und Klöstern Gott, in den Burgen und Schlössern der Herrscher dar, so wird der Bürger vom Rathaus repräsentiert. Rathäuser sind Denkmäler demokratischer Gesinnung. Auf dem Rathaus ist der Bürger ein Herr. Ein Ratsherr. Von dort werden die Geschicke der Stadt gelenkt.

Im Rathaus zeigt sich die Gesinnung einer Gemeinde. Manche tun es den Residenzen des Adels nach, gebärden sich als Bürgerschlösser, verkörpern Bürger- und Zunftstolz in prächtigen Ratssälen. Andere geben sich schlicht, tarnen nicht den Sitz von Kanzleien, die Wahrung von Akten. Man sieht ihnen an, daß es nach Staub riecht, daß hier Verwaltung stattfindet. Denn während Gott waltet, verwaltet der Mensch.

Alte Rathäuser sind ein Stück Stadtgeschichte. Oft sind sie mit Wappen und Jahreszahlen geschmückt. Ein Turm, mindestens aber ein Türmchen streckt den Finger in die Höhe und meldet sich: Ich bin mehr als ein gewöhnliches Haus. Ich bin das Rathaus. Hier wird beraten, hier gibt man Rat, hier holt man sich Rat. Guter Rat ist teuer. Gern werfen Rathäuser Freitreppen auf den Marktplatz aus. Oft dient ein Balkon dem Bürgermeister als Bühne für öffentlichen Auftritt. Die Rathausuhr, zuweilen mit Glockenspiel, schlägt für den Bürger die Stunde: Geburt, Hochzeit, Tod. Die bimmelnde Rathausglocke bemüht sich gegenüber den mächtigen Kirchenglocken vergeblich um Konkurrenz. Da und dort zieren Blumen Rat-

If God is represented by the churches and monasteries, and the lords by the castles, then the citizen is represented by the town hall. Town halls are monuments of democratic ways of thinking. There the citizen is really somebody. The fates of the town are managed there. The way of thinking of a community shows itself in the town hall. Some copy the residences of aristocracy, behave as though they are citizen castles, embody civic pride and guild pride in splendid council chambers. Others are just plain, do not hide the seat of chancellery, the storing of files. One can see that it smells of dust, that administration takes place here. For while God ministers, man administers. Old town halls are a part of town history. Often they are embellished with coats of arms and dates. A tower, but at least a turret, stretches its finger upwards and gives notice: I am more than just an ordinary house. I am the town hall. Here is counsel, here advice is given, here advice is demanded. Good advice is dear. Town halls willingly cast open stairs out onto the market square. Often a balcony serves the Lord Mayor as a stage for public appearances. The town hall clock, now and then with a peal of bells, strikes the hour for the townsfolk: Birth, marriage, death. The ringing of the mighty church bells makes the temporal competition of the town hall bells futile. Here and there flowers decorate town hall stairs, balconies, windows. Civic pride spruces up with flowers. The town hall as visiting card of the

Les églises et les cloîtres sont les maisons de Dieu, les seigneurs résident dans leurs citadelles et leurs châteaux tandis que l'Hôtel de Ville représente les citoyens. C'est le monument de l'esprit démocratique. Le citoyen y est quelqu'un. Un conseiller municipal. C'est là que l'on gouverne la ville.

L'esprit de la commune se reflète dans l'Hôtel de Ville. Certains imitent les résidences de la noblesse, prennent des allures de châteaux bourgeois, incarnent, avec leurs salles de conseil somptueuses, l'orgueil des corporations et des bourgeois. D'autres semblent simples, ils ne cachent pas leurs fonctions administratives, ils ne dissimulent pas leurs archives. On y sent l'odeur de poussière, on remarque le travail qui s'y fait. Car, si Dieu dispose, l'homme propose. Les vieilles mairies sont un chapitre de l'histoire de la cité. Souvent, elles sont ornées d'armes et portent leur date de naissance. Une tour ou tout au moins une tourelle lève le doigt et dit: je ne suis pas une maison ordinaire. Je suis la maison de la ville. On y tient conseil, on y conseille et on y vient chercher conseil. Mais un bon conseil coûte cher. Les mairies aiment avoir un perron sur la place du marché. Et souvent, le maire entre publiquement en scène sur un balcon. L'horloge, et quelquefois son carillon, annonce l'heure au citadin: celle de sa naissance, de ses noces et de sa mort. Le tintement du carillon laïque de l'Hôtel de Ville essaye, en vain, de concurrencer les puissantes cloches de l'église. On voit, çà et là, des fleurs

haustreppen, Rathausbalkone, Rathausfenster. Bürgerstolz putzt sich mit Blumen heraus. Das Rathaus als Visitenkarte der Stadt bildet Stadt-landschaft, es vermag sie auch zu zerstören, wenn sich ein allzu modernistisch aufgetakeltes Rathaus auf einem alten Platz brüstet.

town moulds the townscape, on the other hand it can also destroy it, especially where an all too modern, over-decorated town hall flaunts itself on an old square.

sur les escaliers des mairies, sur leurs balcons et à leurs fenêtres. Les fleurs symbolisent la fierté des citoyens. La mairie, la carte de visite de la ville, crée un paysage urbain, mais elle peut, naturellement, le détruire, quand une bâtisse supermoderne trône sur une vieille place.

Wir sind am Ende. Wir wollten mit diesem Buch das Auge zum Spaziergang durch meist unbekannte, schöne Landschaften verführen. Wir wollten zu klären versuchen, was Landschaft ist, wie sie entsteht und weshalb man sie erhalten muß. Wir wollten ohne mahnenden Zeigefinger im Betrachter und Leser den Wunsch und den Willen wecken, diese durch die Technik gefährdete Landschaft zu retten, zu pflegen, zu erhalten. Landschaft, die uns anheimelt, in der wir uns wohlfühlen, die unsere Sinne erfreut, ohne die es keine Lebensqualität gibt, ist kein Gottesgeschenk. Die Schöpfung liefert uns nur das Rohmaterial. Landschaft entsteht nur dort, wo der Mensch die Urlandschaft ordnet, wo er als Landschaftsgärtner und Landschaftspfleger tätig ist, wo er aus Naturlandschaft Kulturlandschaft macht. Was das ist, das zeigen die Bilder in diesem Buch. Es mag dem Betrachter tröstlich bewußt machen, daß wir nicht weit zu gehen brauchen, um sie zu finden, und daß unsere Heimat noch reich an Landschaft ist.

We have reached the end. We wanted to seduce the eye with this book into taking a stroll through mostly unknown, beautiful landscapes. We wanted to try and clarify what landscape is, how it comes into existence, and why it must be preserved. We wanted to awaken, without the usual admonishing finger, the desire and wish in the reader and beholder to save this technologically endangered landscape, to care for it, to preserve it. Landscape which reminds us of home, where we feel at ease, which gladdens our senses, without which there is no real quality of life and no gift of God. Creation gave us merely the raw material. Landscape exists only where man has developed the primeval landscape, where he is active as landscape gardener and curator, where he makes cultivated landscape out of natural landscape. Exactly what this is can be seen in the pictures of this book. It might be some consolation to the beholder to know that we do not have to go far to find it, and that our native land is rich in landscape.

Nous voici arrivés à la fin. Ce livre proposait une promenade à travers de beaux paysages, souvent inconnus. Nous avons tenté de voir ce qu'est le paysage, comment il se forme, et pour quelles raisons il faut le sauvegarder. Nous voulions, sans admonestation, inciter le lecteur, qui contemple ces images, à sauver le paysage menacé par la technique, à le soigner et à le conserver. Le paysage, où nous nous sentons bien, qui nous met à l'aise, qui charme nos sens et sans lequel la vie n'a plus de qualité, n'est pas un don de Dieu. La Création en fournit seulement la matière première. Le paysage n'existe que là, où l'homme met de l'ordre dans le paysage initial, là, où il en est le jardinier et le tuteur, là, où il transforme le paysage naturel en un paysage civilisé. C'est ce que montrent les images de ce livre. Que l'on se rassure : il ne faut pas aller bien loin ! Il y a, dans notre pays, une grande abondance de paysages.

Bildquellen